Diseños Africanos

REBECCA JEWELL

Diseños Africanos

GG®/México

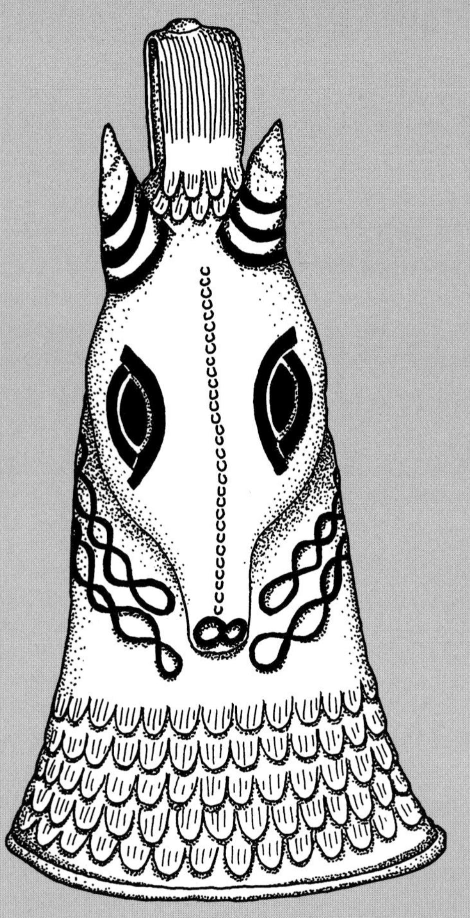

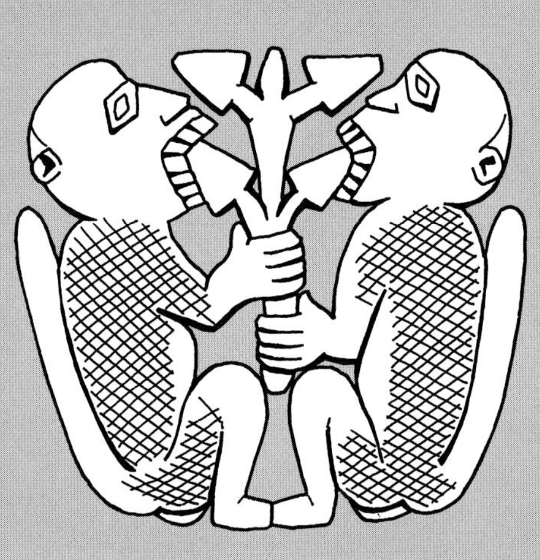

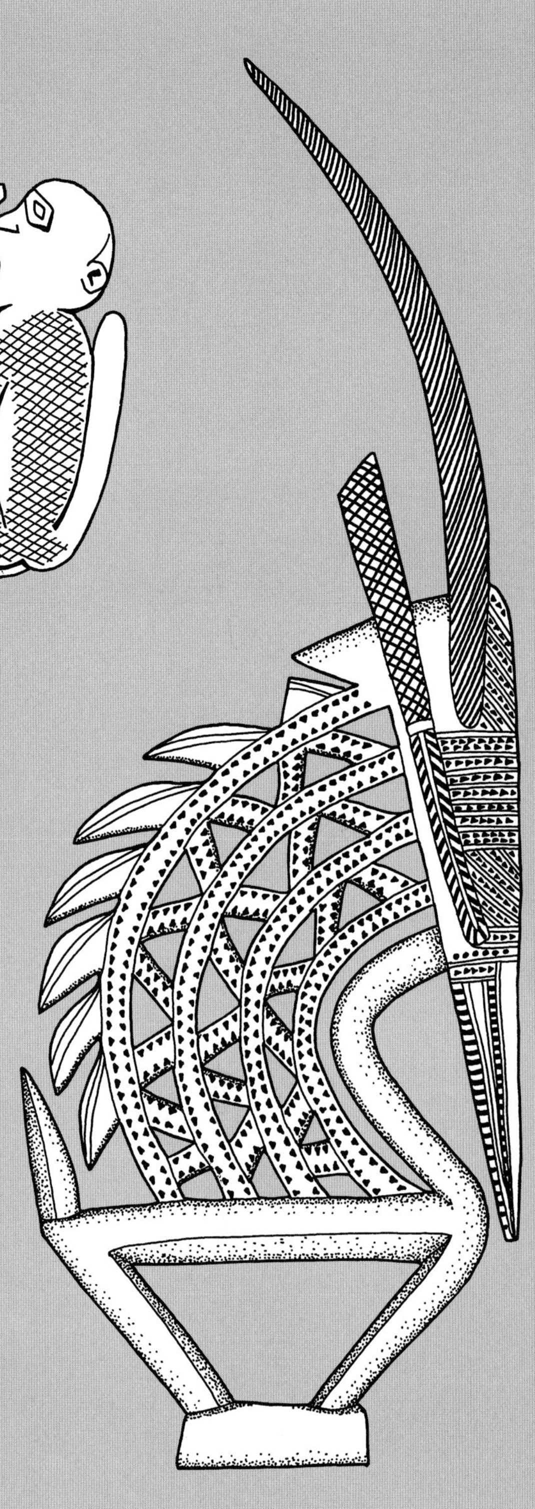

Título original: *AFRICAN DESIGNS*
British Museum Pattern Books

Versión castellana de Margarita Kirchner
Corrección de estilo de Elena Llorens Pujol
Diseño de la cubierta de Eulàlia Coma Scp

Publicado por British Museum Press
que pertenece al grupo
The British Museum Company Ltd.
46 Bloomsbury Street, Londres, WCIB 3QQ.
Para la edición castellana
Editorial Gustavo Gili, S.A., Barcelona, 1998
y para la presente edición
Ediciones G. Gili, S.A. de C.V., México, 1998

Printed in Spain
ISBN: 968-887-351-9
Impresión: Gráficas 92, S.A., Rubí (Barcelona)

La edición consta de 3000 ejemplares

Ediciones G. Gili, S.A. de C.V.

México, Naucalpan 53050
Valle de Bravo, 21. Tel. 560 60 11
080029 Barcelona
Rosselló, 87-89. Tel. 93 322 81 61

Agradecimientos

Mi mayor agradecimiento a Eva Wilson, autora de los otros libros de esta colección, por darme la idea inicial y animarme a estudiar los motivos decorativos africanos. Estoy muy agradecida al doctor John Mack, director del Museo del Hombre, por permitirme acceder a las grandes colecciones de objetos africanos y por sus consejos y comentarios sobre el libro. Doy las gracias a todos los miembros del equipo del museo que me han ayudado, en particular a Julie Hudson, y también a Chris Spring, al doctor Nigel Barley y a Jim Hammill. Un especial agradecimiento para John Picton, de la Escuela de Estudios Orientales y Africanos, por sus consejos al empezar este libro. Finalmente, agradezco a mi familia su ayuda y apoyo.

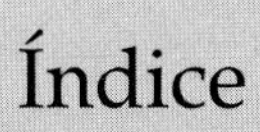

Índice

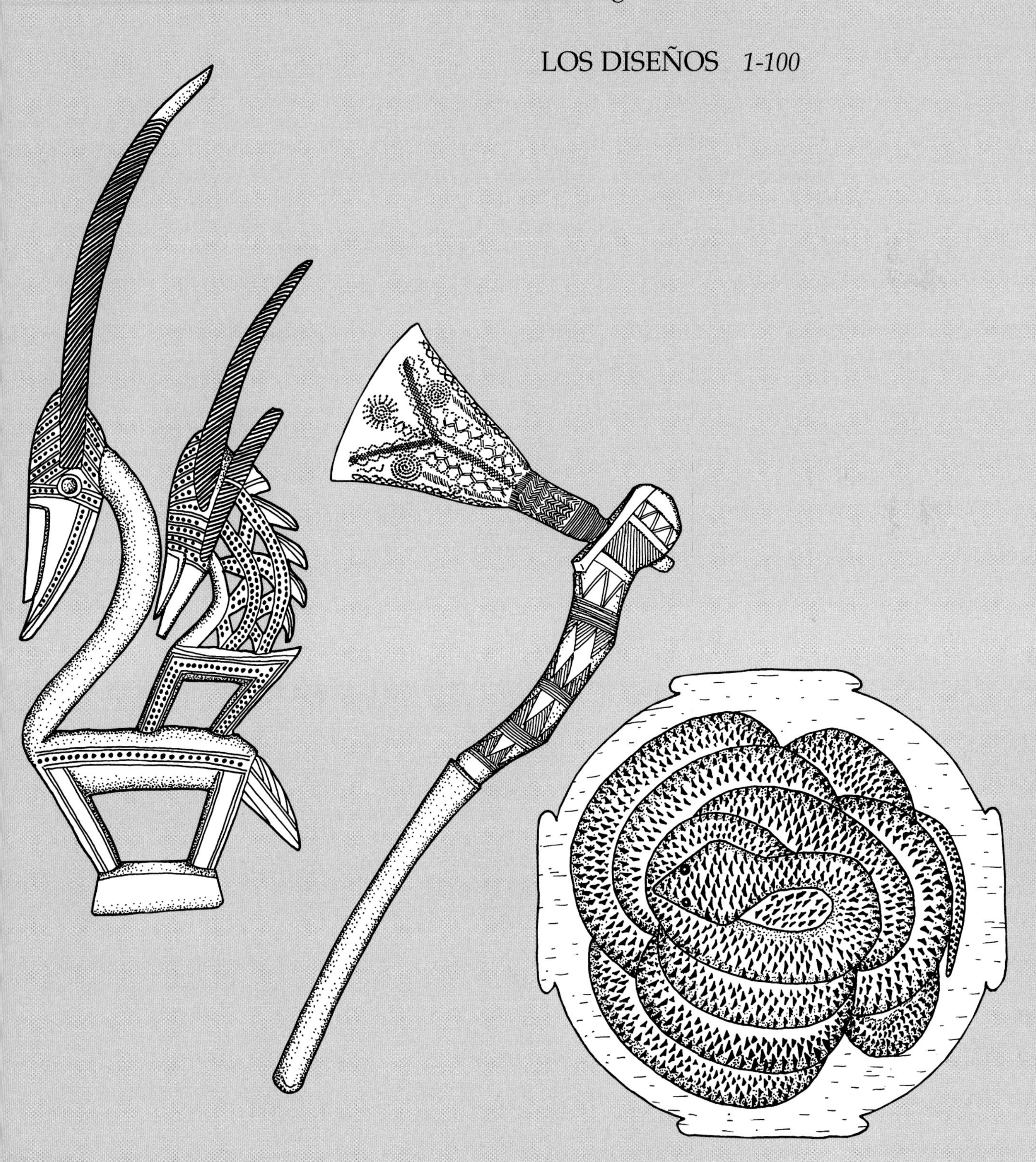

Túnez
Mar Mediterráneo
Marruecos
Argelia
Libia
Egipto
Sáhara Occidental
Mauritania
Mali
Níger
Chad
Sudán
Senegal
Gambia
Burkina Faso
Guinea Bissau
Benín
Nigeria
Etiopía
Sierra Leona
Costa de Marfil
Ghana
Camerún
República Centroafricana
Somalia
Liberia
Togo
São Tomé y Príncipe
Uganda
Kenya
Guinea Ecuatorial
Congo
Ruanda
Golfo de Guinea
Gabón
Zaire
Burundi
Océano Índico
Tanzania
Angola
Zambia
Océano Atlántico
Mozambique
Madagascar
Zimbabwe
Namibia
Botswana
Swaziland
Sudáfrica
Lesotho

Introducción

Este libro forma parte de una colección sobre motivos decorativos publicada por la editorial del Museo Británico precisamente en una época de creciente interés por el estudio del arte africano. Hoy más que nunca en los museos y las galerías de arte se celebran exposiciones de textiles africanos, de la obra de escultores y artistas africanos contemporáneos y de artesanías tradicionales africanas con piezas reunidas durante los últimos siglos. Muchos de los textiles contemporáneos realizados por diseñadores de moda de Occidente incorporan motivos y diseños de las telas tradicionales africanas. Las cestas multicolores hechas de cable telefónico y las joyas de cuentas sudafricanas, se venden en tiendas de artesanía por toda Europa y América, donde las largas sartas de cuentas de los collares africanos son muy populares.

Este libro es un estudio de los motivos decorativos africanos ante todo desde un punto de vista artístico. La mayoría de los objetos provienen de las colecciones del Museo del Hombre, que es el Departamento de Etnografía del Museo Británico. Otros pertenecen a colecciones privadas, libros y catálogos. He procurado reproducir una gama representativa de imágenes, formas y texturas que incluyen o se hallan en madera, metal, alfarería, calabazas, textiles, cestería y marfil. Con este libro se persigue proporcionar un archivo gráfico de muchos de los objetos y textiles decorados que forman parte de las colecciones del Museo del Hombre, así como editar una obra de consulta para artistas profesionales, ceramistas, diseñadores textiles, profesores, historiadores del arte, historiadores sociales y todos aquellos interesados en la cultura visual africana.

Muchos de los motivos resultarán familiares a los expertos en arte africano, ya que se han reproducido en fotografía en otras publicaciones. Sin embargo, también he procurado incluir motivos menos conocidos y diseños que no se habían expuesto o publicado anteriormente, por ejemplo las esteras finamente tejidas del Congo que forman parte de la colección Wellcome del Museo del Hombre (*véase* **83**). He elegido los objetos por sus cualidades estéticas y según pudieran quedar mejor o peor reproducidos al imprimirlos sobre papel a una tinta. He decidido incluir pocos ejemplos de textiles porque, por una parte, existe abundante literatura en torno al tema y, por otra, y dado que la mayor parte de ellos son multicolores, quedan mejor reproducidos en fotografía que en dibujo. Se ilustran, pues, los distintos tipos de motivos realizados mediante las cuatro técnicas textiles principales: tejido, teñido, bordado y aplicación. Una quinta técnica, el *ikat* (teñir parte del hilo antes de tejer) se utiliza en muy pocas regiones africanas.

He intentado reproducir los motivos lo más fielmente posible al original. Sin embargo, es inevitable cierto grado de interpretación. Muchas de las imágenes talladas en madera, como el motivo de cenefa de los paneles de puertas yoruba (**30-33**) y la decoración en los lados de las cajas de madera de Ghana (**40-43**), están talladas de tal manera que la incidencia de la luz en los distintos ángulos de la madera añade una dimensión extra al efecto de conjunto del diseño. Allí donde en el dibujo a tinta se pierdan algunos de estos matices, espero que el lector mantenga el interés por la pieza original. Por lo general he dibujado con una vista aérea los objetos circulares, como platos de latón, cestos, calabazas, taburetes de asiento circular y sombreros de Senegal o de Gambia. Para los objetos planos, como la parte de arriba de los sombreros (**52**) o los cojines de piel (**23**), este punto de vista no plantea problema alguno con respecto al motivo, y en cuanto a las formas abombadas como las calabazas (**22** y **44**) y los cuencos sudaneses (**17**), ello no supone que los extremos queden distorsionados ni que los motivos situados en los bordes aparezcan más alargados vistos de perfil.

No existe ninguna característica que defina de forma global los motivos decorativos africanos, antes bien se destacan por su diversidad. La representación figurativa o estilizada de los seres humanos y de los animales es harto común, y la tendencia a distorsionar las formas naturales con el objetivo de enfatizar ciertas características lleva al uso repetitivo de formas geométricas. Los triángulos, rombos, cuadrados y *chevrons* (zigzags) aparecen repetidamente tanto en los textiles como en la madera o la alfarería. A menudo las formas geométricas reciben nombres de animales, que vienen sugeridos por la relación visual que se establece entre el motivo y el animal en cuestión. Una parte del primer arte rupestre de África meridional que data de hacia el 10.000 a.C., se puede dividir en dos categorías: representaciones figurativas (animales y personas) y diseños geométricos.

En un intento por dotar de contexto a esta diversidad, he agrupado los dibujos principalmente según su procedencia geográfica.

África septentrional y del nordeste

A partir del siglo I de la era cristiana, la religión jugó un papel decisivo en el desarrollo de las artes del norte de África. Aquí el cristianismo fue oficialmente reconocido en el 313 d.C., desarrollándose el arte copto en Egipto para extenderse más tarde a Nubia y Etiopía. Con posterioridad el Islam sustituyó al cristianismo excepto en las tierras altas de Etiopía, donde todavía sobrevive en la actualidad.

La fe islámica entró en Egipto procedente de Arabia en el 639 d.C. Se extendió luego al Magreb (Marruecos, Argelia y Túnez) y siguió las rutas comerciales a lo largo de la costa este, llegando a Madagascar en el siglo IX y al África occidental en el siglo XI. Allí donde arraigó el Islam, la arquitectura se convirtió en la forma artística predominante debido a la necesidad de la plegaria común del viernes en la mezquita. Los diseños de entrelazado característicos del Islam se encuentran en la alfarería y en los azulejos de Marruecos (**6-8**), y las joyas de Argelia y Marruecos incorporan muchos de los símbolos islámicos, como la mano o *khamsa* (significa "cinco" en árabe)(**5**). La influencia del Islam en Etiopía se percibe en los bellos manuscritos iluminados que nos han llegado hasta hoy, la mayoría de los siglos XVII y XVIII, aunque algunos pueden ser incluso del siglo XV. Estos manuscritos se caracterizan por sus colores vivos (rojos intensos, azules, amarillos y verdes) y por sus vigorosas escenas figurativas. Las páginas están decoradas con cenefas y encabezamientos multicolores y con bandas de trenzas entre capítulos (**14-15**).

El trabajo en metal era un oficio antiguo en Etiopía. La llegada del cristianismo dio un nuevo impulso al arte, desarrollándose la característica cruz etíope. Había diferentes centros de producción, que destacaron en distintos períodos y cuyos estilos variaron según la región y el metal utilizado. La cruz del siglo XV de la lámina **13** proviene de Goŷam y es de plata.

África occidental

Los portugueses fueron de los primeros exploradores de tierras lejanas en llegar a las costas occidentales de Àfrica, buscando controlar el comercio del oro, el marfil y la pimienta. Llegaron a Sierra Leona en 1460 y al reino de Benín en 1485. Importaron, entre otras cosas, cuentas de coral rojo del Mediterráneo que sólo podía llevar el rey de Benín. El dibujo de la lámina **63** muestra al rey luciendo un grueso collar de coral. El oro se comerciaba a cambio de brazaletes de latón y cobre.

Los portugueses influyeron de forma significativa en el arte de la región. A los artesanos de Sapi y Benín les encargaron olifantes de marfil labrado, saleros, cucharas, tenedores y empuñaduras de daga. Las placas de bronce (o más exactamente, de latón) del Museo Británico se hicieron tras la llegada de los portugueses y en ellas aparecen con regularidad imágenes de los portugueses vestidos a la moda del siglo XVI, incluidos uniformes militares europeos (**67**). Se distinguen por el pelo largo, la nariz puntiaguda y la barba, aunque también se les representa con formas más estilizadas como en la lámina **61**. Las placas revelan el desarrollo de las técnicas artísticas; las más antiguas muestran figuras estáticas, vistas de frente, mientras que las posteriores revelan figuras de perfil que disparan rifles, lo cual atestigua cómo abordaban los artesanos los nuevos problemas formales.

Las artes actuales de África occidental se han visto influidas de manera significativa por las del norte. En concreto el Islam ha dejado su huella en la iconografía de los diseños y motivos. Tradicionalmente el Islam prohíbe la representación figurativa en el arte, pero ello no ha bastado para hacer desaparecer la figuración en el África occidental. Los antropólogos han descubierto que los cultos indígenas y la religión musulmana pueden coexistir, a veces fundirse, y que el Islam ha podido extenderse por tantas zonas de África en parte gracias a su habilidad por tolerar, más que subyugar, las culturas indígenas.

África central

El vasto reino costero del Kongo (actualmente norte de Angola, Zaire occidental y sur de la República del Congo) floreció entre los siglos XIII y XIV, y con él la producción de tejidos, esteras, cestos y figuras talladas en madera, bellamente decorados y conocidos por sus elaborados motivos geométricos. Las telas de terciopelo (*véase* **80**) se cotizaron muchísimo después de que los portugueses las "descubrieran" a finales del siglo XV y fueron, junto con los marfiles tallados de Sapi, de los primeros productos africanos en llegar a Europa a principios del siglo XVI.

Al igual que en Sierra Leona y Benín, se encargaron marfiles tallados a los artesanos locales. África central estuvo muy expuesta a la influencia europea y a la acción de los misioneros católicos portugueses, por lo que en muchos de estos marfiles aparecen representaciones de crucifijos, la Virgen, santos y europeos con ropas del siglo XVI. Los símbolos cristianos se entremezclan con los africanos y se incorporaron a los rituales y costumbres tradicionales.

Sin embargo, a finales del siglo XVI estos reinos del África central entraron en decadencia y durante el siglo XVII surgieron estados más pequeños hacia el este, en los límites de la selva tropical del Congo. Uno de ellos fue el reino kuba, situado entre los ríos Kasai y Sankuru del actual Zaire. Allí el arte se centró alrededor de la corte, donde la gente se resistía a las influencias europeas no sólo porque los objetos que más apreciaban (sus textiles, espadas y tallas) no podían ser superados por las importaciones europeas, sino también a causa de su relativo aislamiento. Entre 1904 y 1910 el etnógrafo húngaro Emil Torday volvió de esta región con gran cantidad de objetos para el Museo Británico; el público británico los aceptó enseguida gracias a la forma "accesible" de esculturas y al atractivo de los motivos decorativos (**81**).

África oriental y meridional

Las formas artísticas realizadas en todo el continente africano están en general ligadas a la geografía y la economía de la zona y al modo de vida de su gente. Los pueblos dedicados al pastoreo como los masai de Kenya, que recorren grandes distancias para conducir a su ganado hacia nuevas pasturas no han desarrollado, por regla general, tradiciones en el terreno de la escultura, la fundición de metal y la decoración doméstica. En cambio, su arte es portátil: calabazas decoradas, escudos pintados, pintura corporal y joyas.

El sudeste de África es más fértil y está dividido en tribus con economías mixtas de ganadería y agricultura. En Zimbabwe, Transvaal y zonas del Estado

Libre de Orange, entre las formas artísticas se incluye la arquitectura de piedra. Esta arquitectura alcanzó su cota más alta con la construcción de la ciudad de Gran Zimbabwe. En su momento de máximo esplendor a mediados del siglo XIV, la ciudad albergaba 10.000 personas, mantenidas por una rica economía basada en la ganadería, la fundición de hierro, el trabajo del cobre y las minas de oro. Pero por alguna razón todavía no demasiado clara, el poder de la ciudad empezó a debilitarse y para el año 1500 el comercio había cesado y la población se había dispersado. Las enormes murallas de piedra de Gran Zimbabwe probablemente fortificaban el centro de control y de poder político. Muchas de ellas presentaban ornamentación en distintos estilos según el momento en que fueron construidas. En unos pilares se encontraron unos pájaros esculpidos en esteatita; este pájaro hoy es el emblema de Zimbabwe. El oficio de la talla en piedra ha renacido recientemente en Zimbabwe y en la actualidad muchos escultores aprenden esta técnica.

Los primeros habitantes del sudeste de África, los cazadores-recolectores, vivieron durante muchos años junto a las tribus sedentarias, a veces trabajando para ellas recogiendo leña y otras celebrando ceremonias propiciatorias de lluvia. El arte rupestre, tanto la pintura como el grabado, se asocia generalmente con las economías de los cazadores-recolectores de las regiones secas, aunque quizá fueran los granjeros de lengua bantú y los pastores de África meridional los artífices de algunas de las pinturas que todavía hoy se conservan. Cuando a partir de 1652 los holandeses emigraron al sur de África, empezaron a adueñarse de las tierras de los pueblos ganaderos y se enfrentaron con los granjeros, matando a muchos de ellos a su paso. A partir de la década de 1830 la región entró en conflicto a causa de la expansión zulú y de la emigración bóer hacia esa zona. Con este telón de fondo, el trabajo de cuentas, la cestería y la pintura mural en viviendas continuó evolucionando durante todo el siglo XIX.

Madagascar fue colonizado antes del año 1000 por emigrantes originarios del sudeste asiático y de las costas africanas cercanas. La riqueza de diferentes influencias, entre ellas india, árabe e indonesia, tuvo como resultado el desarrollo de estilos artísticos característicos y de la arquitectura. Estas influencias también condicionaron la técnica y el diseño de los textiles, que se tejían con seda, lana, rafia, algodón, corteza de árbol e incluso fibras de piña y plátano.

Una historia del arte africano

En el pasado se clasificó el arte africano según dos criterios: por la tribu que lo había realizado y por su uso o función. Sin embargo, los historiadores del arte y los antropólogos ya no utilizan el término "tribu" a causa de la dificultad que entraña definirlo. Las imprecisas fronteras de los grupos lingüísticos y políticos quedaron fosilizadas por el colonialismo y su intento de agrupar a la gente según criterios artificiales. El término "etnia", en cambio, engloba a un grupo de individuos que se distingue por hablar una misma lengua y compartir la misma estructura social y política, así como los mismos valores sociales; sin embargo en África, como en todas partes, las etnias están a menudo divididas por razones de clase, religión, política, lengua y alfabetización. Estas divisiones conducen al desarrollo de distintas formas artísticas, como hasta cierto punto ocurrió en el reino kuba del Zaire, donde existió un arte exclusivamente para la realeza, y en Benín, donde se desarrollaron imitaciones provincianas del arte de la corte. La clasificación del arte según la etnia tiende a enmascarar estas diferencias. Además, en algunos casos un objeto puede haber sido comprado o encargado a otro artista residente a muchos kilómetros de distancia, o bien a artistas itinerantes. Los ashanti de Ghana encargan desde hace siglos las bellas *khasa* (mantas) tejidas y los *kerka* (tapices) a los tejedores fula del norte (cerca del río Níger en Mali); y la posesión de tales artículos se tiene en mucha estima.

Las túnicas bordadas del norte de Nigeria (**24**) son un buen ejemplo de artículo fabricado por artesanos de varios grupos étnicos: la tela está tejida por uno y el decorado bolsillo delantero bordado por otro. Los diseños del bordado pueden incluso ser de otra persona. Tal como John Picton y John Mack describen en *African Textiles*, la producción de estas túnicas pudo haber servido para unificar distintos emiratos del norte de Nigeria después de las guerras santas de principios del siglo XIX.

También hubo intercambio de técnicas entre pueblos y comunidades vecinos. Actualmente los hombres hausa, por ejemplo, funden pesas de oro ashanti cerca de Kumasi (Ghana). Por lo tanto, a veces resulta difícil atribuir una obra a una tribu concreta. Jan Vansina, en *Art History in Africa*, argumenta que para realizar una atribución se ha de prestar atención al objeto, y no a la institución de procedencia; que siempre que sea posible se ha de conservar el nombre del artista, junto con la fecha de ejecución, el pueblo o taller donde se hizo y el sistema por el que se realizó, y que resulta problematico agrupar los objetos según su función, ya que la pieza puede desempeñar más de una o ésta puede ser poco clara. En cambio, Margaret Trowell, en su libro *African Design*, agrupa los objetos según el material del que están hechos, como madera, metal, marfil y textiles.

Los comienzos del arte africano

La primera forma artística conocida en África es la pintura rupestre, realizada por los pueblos nómadas de África meridional y del Sáhara. De las pinturas conservadas, algunas de las más antiguas son las descubiertas en los yacimientos arqueológicos de Namibia en estratos de 19.000 y 26.000 años de antigüedad. Las pinturas están hechas sobre guijarros y piedras de tamaño transportable y son representaciones de rinocerontes y de formas medio humanas medio animales. Las pinturas y grabados que se conservan en abrigos en la roca son más modernas, pero más difíciles de fechar con precisión. Algunas quizás datan de finales de la Edad de Piedra, alrededor del 10.000 a.C. Esas pinturas muestran a gente bailando, despellejando animales, brujos celebrando rituales, así como la caza de animales, manos, arcos y flechas y motivos geométricos.

La escultura africana más antigua proviene de Nigeria y hay que fecharla a partir del 700-500 a.C. Se trata de la famosa escultura *nok*, figuras humanas y animales en terracota halladas en las minas de estaño cerca del pueblo de Nok. Las figuras son extraordinarias, pues demuestran pertenecer a una tradición artística muy evolucionada para una época en que apenas si se habían establecido las rutas comerciales de larga distancia y los sofisticados reinos de Ghana.

Se tiene evidencia arqueológica de que la metalistería existió en el norte de África desde la temprana fecha del 3000 a.C., desde donde se extendió a Mauritania. No se conservan obras de arte en metal de este período tan temprano, aunque sabemos que alrededor del año 700 a.C. la fundición de hierro había llegado a Nigeria y en el 500 a.C. se trabajaba el hierro en Etiopía y en la zona de los Grandes Lagos, en el África oriental. Mucho más tarde, los reinos de Ifé y Benín en Nigeria se convirtieron en importantes centros del trabajo del bronce (aunque muchos de los objetos descritos como bronce son realmente de latón). La mayoría de cabezas de bronce y figuras halladas en los yacimientos de Ifé (el centro ritual de los yoruba) fueron hechas probablemente durante el siglo XIV, mientras que en Benín la fundición floreció con toda probabilidad durante los siglos XVI y XVII (*véanse* **66-69** para ejemplos de fundición en bronce de Benín). Las cuentas fueron un importante objeto de transacción comercial para los habitantes de Ifé y muchos de los bronces muestran a gente luciendo cuentas y tocados de cuentas similares a los que actualmente usan los jefes yoruba (*véase* **25**). Sin embargo, a partir del siglo XVI el poder de Ifé empezó a debilitarse debido a la expansión de los estados vecinos de Benín y Oyo y el consiguiente control de las rutas comerciales. En el siglo XIX, Ifé fue destruido por las campañas de Oyo, desapareciendo con él las tradiciones de fundición de metal.

Los motivos decorativos

Los diseños realizados sobre el cuerpo, en joyas, vestidos y casas, todos juntos ayudan a configurar la identidad personal y comunitaria; asimismo, los signos y símbolos poseen un significado especial para los miembros de comunidades específicas. En el arte africano existe una tendencia a distorsionar las formas naturales con el propósito de enfatizar ciertas características lo cual, junto con la aplicación de motivos simbólicos, desemboca en un predominio de las formas geométricas. En todo el arte africano se repiten variaciones de diferentes motivos y formas geométricas, que probablemente alcanzan su cenit en los diseños islámicos (*véanse* **5-8**). Los motivos decorativos islámicos ilustran la tentativa que se esconde, tras los diseños, de interpretar y expresar el mundo a nuestro alrededor. En todos ellos subyace la necesidad de expresar la unidad de Alá, con la que, a su vez, se mantiene unida la diversidad y multiplicidad del mundo; esta relación no se puede expresar mejor que con los complejos motivos de entrelazado (*véase*, por ejemplo, **8**). El diseño islámico se puede reconstruir matemáticamente con la ayuda de una red de círculos, cuadrados y triángulos (*véase* Eva Wilson, *Diseños islámicos* en esta colección).

Se puede decorar un objeto por diversas razones. El motivo decorativo puede cumplir una función, por ejemplo conservar las paredes de una casa, o puede dar mayor prestigio social al propietario o al artista, como en el caso de las vasijas kuba, profusamente decoradas. En otros casos, el motivo puede ser puramente decorativo, resaltando el diseño de conjunto o enmarcando una imagen.

Las puertas de madera labrada yoruba a menudo se componen de una serie de escenas, cada una enmarcada o separada de la siguiente por un motivo lineal trabajado en celosía (como en la lámina **32**). Estas cenefas se llaman *eleyofo* en yoruba y sirven para distribuir las escenas según un orden narrativo. Los paneles de las puertas son muy importantes ya que, a diferencia de gran parte de la escultura africana, describen acontecimientos que ocurrieron durante un determinado período de tiempo.

Las decoraciones en los edificios pueden ayudar a conservar su estructura. El barro esculpido alrededor de los portales hausa refuerza los extremos, y los murales ndebele de África meridional añaden una capa protectora de pintura a las paredes de barro. Los diseños también tienen un sentido simbólico. Algunos de los motivos decorativos ndebele son "arquitectónicos", pues realzan la estructura de la vivienda y representan escalones, terrazas y puertas (**97**).

Los motivos específicos pueden recibir un nombre; los kuba poseen más de doscientos motivos con nombre. A veces, el nombre refleja la similitud de la forma del motivo con algo de la vida real, como la huella de una iguana. En otros casos puede nombrarse por la persona que lo diseñó, pero lo más normal es que no podamos descifrar su significado. Los kuba constituyen una excepción en su deseo por decorarlo absolutamente todo (utensilios culinarios, mobiliario, casas, sus propios cuerpos, textiles y vestidos). En su libro *African Textiles*, John Picton y John Mack abordan el tema del bordado kuba y explican que no cesan de crearse nuevos motivos: se ensaya repetidas veces una variación del diseño hasta conseguir que sea satisfactoriamente distinta; sólo entonces se le otorga un nuevo nombre.

A veces los motivos decorativos y los diseños son simbólicos. Las banderas fante (*véase* lámina **35**) tienen significados proverbiales y pueden representar acontecimientos históricos. Se utilizaban en las guerras para lanzar mensajes provocativos o celebrar la victoria. Una bandera con la imagen de un buitre significaba "venimos a luchar; vosotros no, simples buitres".

La creencia de que el "mal de ojo" puede causar algún daño ya existía en el norte de África desde antes de la llegada del Islam, pero fue fomentada por las palabras del Corán que ponen en guardia contra las "personas envidiosas". Así, como describen John Mack y Christopher Spring, muchos de los motivos en textiles y en objetos sirven para desviar o afectar el mal de ojo, como por ejemplo la mano con los cinco dedos extendidos, que (**5**) puede atravesarlo, o los dos cuchillos, *aska biyu*, y los ocho cuchillos, *aska takwas*, que aparecen en los bolsillos bordados de las túnicas hausa (**24**).

Se ha estudiado en profundidad el simbolismo del arte de Benín, concretamente en un libro editado por Paula Ben-Amos y Arnold Rubin titulado *The Art of Power, the Power of Art*. El cocodrilo (**66** y **67**), el pez-águila (**65**), la serpiente pitón (**59**) y el elefante (**70**), son emblemas de autoridad legítima. El cocodrilo comiéndose un pez (**66**) simbolizaba al gobernante ejerciendo autoridad sobre sus subordinados. La mano es el símbolo de lo que se puede conseguir mediante el esfuerzo personal, más allá de lo que concede el destino.

Aunque los dibujos de este libro sean en blanco y negro, el color juega un papel importante en el simbolismo del arte africano. En Benín, las cuentas de coral rojo y los ropajes rojos que luce el rey expresan una amenaza para sus enemigos. El blanco se asocia con la tranquila naturaleza de los dioses, en concreto el dios del mar. En el arte de Ghana, el rojo se viste para mostrar pesar o insatisfacción; el azul índigo se asocia a la ternura y feminidad; el dorado a la riqueza de la tierra y el verde a la productividad. Del mismo modo, en el arte de Benín los materiales también son portadores de significado. El marfil sólo lo utiliza el rey y el latón, el rey y los jefes.

Los animales en el arte

Quizás la característica más llamativa del arte africano sea la frecuencia con que aparecen representados los animales, tanto de modo figurativo como estilizados. A menudo se interpreta que los diseños más puramente geométricos poseen un origen animal, como la forma de rombo que aparece en las faldas zaireñas, considerada una representación estilizada del varano (**84**). En toda África, los mitos de la creación explican el origen de la vida a través de la acción de los animales. Para los yoruba (de Nigeria), se formó la Tierra cuando una gallina la escarbó del agua primordial y un camaleón fue a examinarla. Para los bámbara (de Mali), el conocimiento de la agricultura fue impartido por un antílope (*véanse* **56-58**) y para los dogon (también de Mali), los pájaros, las hienas y los monos expulsan del pueblo los espíritus de los muertos. Las jerarquías sociales reproducen las jerarquías del reino animal. Los leones, leopardos y elefantes se asocian con los reyes y los jefes. En Benín, el rey (Oba) y el leopardo mantienen una relación metafórica; el leopardo era el rey de la selva (naturaleza), mientras que el rey Oba lo era de la casa (cultura). Según describe Paula Ben-Amos en *The Art of Power, the Powert of Art*, el motivo del leopardo es un emblema de autoridad y simboliza el derecho del Oba a quitar la vida a otro ser humano.

Diseño moderno

En muchas partes de África las técnicas tradicionales están desapareciendo, pero todavía quedan artistas contemporáneos que plantean iniciativas e ideas nuevas para intentar mantener vivas las artes. El artista de Ghana Atta Kwami explica que se introducen continuamente nuevos signos y símbolos en el arte ghanés, en concreto nuevos símbolos en los sellos *adinkra* y en las pinturas murales. La artista Akanvoli Abopadongo pintó una pared en Sherigu (Ghana) en 1990 y nombró uno de los motivos *Kuyana ni dole bobiga*, que significa "un hombre conocido que posee distintas formas de vacas". Akanvoli explica que se le ocurrió este motivo mientras observaba unos rebaños de vacas desde el tejado de su casa y que la forma que diseñó representa una vista de pájaro.

Actualmente los tejedores fulani producen menos cantidad de la apreciada *kerka*, pero en cambio los que viven en las ciudades tejen tejidos multicolores con algodones industriales, que son muy apreciados por la gente de Mali y los turistas. En toda África, en los lugares donde los hilos industriales son asequibles y fáciles de trabajar, los tejedores están produciendo e inventando nuevos diseños.

Muchos diseños textiles de África fueron copiados de los primeros algodones estampados europeos, que a su vez eran a menudo copias del *batik* indonesio. Actualmente en Nairobi prolifera el *batik*: un ejemplo de la localización de un oficio importado para el que se utilizan materiales y estilos importados.

Los misioneros han fomentado en muchos sitios la continuación de las formas artísticas tradicionales. En Ghana, la Iglesia católica ha encargado a varios artistas la decoración de paredes de iglesias y el gobierno ha financiado programas específicos de apoyo a las artesanías indígenas. En Botswana, la organización Servicios de Diseño y Desarrollo promueve el trabajo de los cesteros, puesto que en África meridional se había llegado al punto de que estaban desapareciendo los típicos motivos y diseños de los cestos porque estos objetos, dado el carácter efímero de su material, eran sustituidos por los de plástico. Pero, a partir de la década de los setenta, los coleccionistas de arte, los turistas y los habitantes de Botswana empezaron a interesarse por los cestos, razón por la que han sobrevivido los estilos y los diseños, junto con muchos otros de nueva creación. Beth Terry, que trabaja para los Servicios de Diseño y Desarrollo, explica, en un artículo sobre los tejedores, que hoy en África meridional hay muchas más mujeres que se dedican a la cestería que antes. En la actualidad, este oficio constituye la única fuente de ingresos del noventa por ciento de los tejedores, a diferencia del veinte por ciento de 1970. Las formas tradicionales han evolucionado y variado para adaptarse a las necesidades de los hogares occidentales; el tradicional cesto redondo de aventar, por ejemplo, se ha hecho cuadrado para convertirlo en una bandeja; la esterilla de moler se vende como salvamanteles y las más pequeñas, como posavasos; las esteras para dormir se destinan a los suelos de los albergues de los safaris, y los cestos para almacenar son los populares cestos para la ropa sucia. En Lesotho los sombreros puntiagudos se han reconvertido en tapas para cestos.

A principios de los años setenta, los cestos de Botswana y Zimbabwe apenas tenían decoración o los diseños eran mínimos, como resultado de la propia técnica de tejido. Los cestos se hacían del color natural de la palma. Pero a finales de la década de los setenta y principios de los años ochenta empezaron a surgir nuevos diseños que recibieron nombres como "cola de golondrina" o "espalda de pitón"; asimismo, muchos cesteros empezaron a recibir clases de combinación del color y de técnicas de teñido. Los tejedores no tienen un interés especial por nombrar los motivos decorativos, esto más bien lo hacen los vendedores como parte de la estrategia de venta, y los clientes.

En Sudáfrica los cesteros zulúes también han desarrollado nuevos motivos y técnicas, como el multicolor cesto *imbenge* de cables telefónicos. Este tipo de cesto juega un importante papel en el intercambio de regalos en las bodas zulúes. Antes los hombres hacían los cestos con hierba tejida, pero cuando la gente del campo se trasladó a las ciudades, pasaron a hacerlo con lo primero que encontraban. Actualmente compran sobre todo cables telefónicos, por lo que el color del cesto depende de los cables que se encuentren.

Las artesanías comerciales de toda África se han visto influidas por los artistas europeos y por la demanda del mercado. Los programas de promoción de la cestería en África meridional son sólo un ejemplo de ello. En otros lugares existen movimientos similares, por ejemplo el trabajo con los escultores en piedra de Zimbabwe. En Egipto, los artesanos que hacían tiendas siguen con su trabajo tradicional al tiempo que hacen fundas de cojines y cubrecamas con aplicaciones y realizan copias estampadas a máquina de tapices de aplicación. El diseño africano continúa desarrollándose, por lo que resulta incluso más necesario conservar los motivos y las técnicas que están cambiando o quedando en desuso.

Notas a los diseños

A no ser que se indique lo contrario, todos los números de inventario pertenecen a objetos procedentes del Museo del Hombre.

1 Plato de alfarería. Color crema con fondo pintado en rojo y negro. El Rif, Marruecos. Los cabilas son bereberes que viven en las montañas del Djura, al este de Argelia. Son famosos por sus joyas en plata y por la alfarería decorada. Los estilos varían entre los distintos grupos de esta zona. Diámetro: 18 cm. 1979 AF 1.22

2 ARRIBA IZQUIERDA. Plato de alfarería, Berbería, oeste de la Gran Cabilia. Fondo crema, decoración en rojo y negro. Diámetro: 23,2 cm. 1979 AF 1.14. ARRIBA DERECHA. Decoración en rojo oscuro sobre fondo blanco; es la base de la vasija de la lámina **3**. Ancho: 21 cm, 1917 12-4.1. DEBAJO. Plato de alfarería con rayas en rojo oscuro sobre blanco (el reverso en la lámina **1**). El Rif, Marruecos. Diámetro: 18 cm, 1979 AF 1.22.

3 ARRIBA. Plato de alfarería, Berbería, oeste de la Gran Cabilia, Argelia. Amarillo con fondo rojo y negro. Diámetro: 18,3 cm, 1979 AF 1.10. CENTRO. Decoración pintada en uno de los lados de una vasija. Berbería, oeste de la Gran Cabilia, Argelia. Fondo crema con decoración en rojo y negro. Altura: 11 cm, 1979 AF 1.17. DEBAJO. Decoración en uno de los lados de la vasija marroquí de la lámina **2** (ARRIBA DERECHA). Rojo oscuro sobre crema. 1917 12-4.1.

4 ARRIBA. Parte de la decoración pintada en una vasija para agua de Túnez. Fondo crema con decoración marrón. Altura: 22 cm, ancho: 12,5 cm. 7775. DEBAJO. Decoración pintada en una vasija de alfarería. Fondo crema con decoración en rojo y negro. Gran Cabilia, Argelia. Altura: 15 cm. 1929 11-5.1.

5 Joyas de plata bereberes de Argelia. DE IZQUIERDA A DERECHA: HILERA SUPERIOR. Colgantes de plata de Argelia; los dos primeros dibujos muestran el anverso, y los dos segundos el reverso. Largo del colgante de la izquierda: 5,2 cm, 4622 y 4623. SEGUNDA HILERA. El primer dibujo, el segundo y el cuarto son colgantes de plata de Argelia. Diámetro del colgante de la izquierda: 5 cm, 4621 y 4620 (anverso y reverso). El tercer dibujo corresponde a la parte de plata de un collar de cuentas de coral con cadena de plata. Argelia, Cabilia. Largo: 6,5 cm, 1907 3-16.3. TERCERA HILERA. Colgantes de plata de Argelia, el segundo con incrustaciones en esmalte verde y azul. Largo del colgante de la izquierda: 5,5 cm, 4624, 4610, 4625, 4626. CUARTA HILERA. Colgante de plata de Argelia. El triángulo invertido simboliza la imagen femenina. Ancho: 37 cm, 1943 AF 14.9. Colgante de plata en forma de mano. *Khamsa* significa "cinco" en árabe. Otros motivos que cuentan con el número cinco, por ejemplo "la casa del cinco" (*véase* lámina **24**), también se denominan *khamsa* y son similares en su derivación simbólica y en su función. Largo: 5 cm, 6754. QUINTA HILERA. Broches de plata grabada de Argelia. Las primeras formas parten de una de las piezas de joyería más habituales que servía para sujetar el drapeado en los hombros. La pieza completa consiste en una cadena, un colgante y un broche en la parte superior que se clava en la tela. Largo del broche de la izquierda: 9,7 cm. 1943 AF 14.11 y 12, 4617 y 4616.

6 ARRIBA. Decoración del interior de un cuenco esmaltado en azul y blanco de Marruecos. Diámetro: 28,2 cm, 1992 AF 1.60. El dibujo de DEBAJO muestra la decoración del exterior. CENTRO. Decoración de la parte central de una vasija marroquí esmaltada básicamente en blanco con decoración roja, amarilla y negra. Altura: 53 cm, 1922 AF 1.21.

7 Dos vasijas de cerámica esmaltada; la de ARRIBA es marrón y blanca y procede de Marruecos, altura: 39 cm.; la de DEBAJO es azul y blanca y aparece con la tapa, altura: 29 cm. 1922 AF 1.81, 1922 AF 1.28 a y b.

8 Motivos decorativos en blanco y azul de piezas de cerámica marroquí. ARRIBA IZQUIERDA. En el centro de una tapa. Ancho: 21 cm, 1992 AF 1.33 a y b. ARRIBA DERECHA. En el interior de un *tajine* para cocinar. DEBAJO. En el interior de un cuenco. Diámetro del cuenco de la izquierda: 12,5 cm, 1992 AF 1.50. Cuenco de la derecha 1922 AF 1.60 (*véase* lámina **6**).

9 ARRIBA. Dos platos grandes de alfarería en rojo terroso con decoraciones en blanco, Argelia. Diámetro: 40,5 cm, 27 cm, 1974 AF 20.34 y 36. DEBAJO. Plato de cerámica sobre un soporte, con tres cuencos. Wikabilia, Fort National Area, Argelia. Fondo amarillo con rayas y topos negros y centros rojos. Altura: 20,5 cm, 1944 AF 4.328.

10 HILERA SUPERIOR, IZQUIERDA y DERECHA. Anillos de plata y CENTRO amuleto de plata (largo: 17,8 cm) de Gadamés, Libia. Diámetro del anillo de la izquierda: 4,7 cm, 1981 AF 5.16, 25 y 18. HILERA INFERIOR. Broche de plata de Gadamés, Libia. Largo: 14 cm, 1981 AF 5.19 a y b.

11 ARRIBA IZQUIERDA Y DERECHA, DEBAJO IZQUIERDA. Brazalete, parte de otro brazalete abierto, y un tercer brazalete hecho de latón, de Etiopía. Largo del brazal de arriba: 16 cm, 1866 2-19.1, 1913 6-16.6, 1912 4-10.5. DEBAJO DERECHA. Hebilla de latón de un cinturón, Etiopía. Diámetro: 11 cm.

12 El cristianismo se reconoció oficialmente en Etiopía en el año 330 d.C. con la llegada de un misionero de Tiro, san Frumencio. La cruz etíope está basada en la forma de la cruz grecorromana y tiene cinco variantes: la cruz para el cuello usada por los hombres; la cruz pectoral, usada por las mujeres; la cruz de los sacerdotes usada para bendecir; la cruz procesional que se coloca sobre un bastón; y la cruz de la iglesia, que se ve en los techos de todas las iglesias etíopes. Las cruces procesionales cumplen una función destacada en las ceremonias de la iglesia ortodoxa etíope. Se utilizan no sólo en las procesiones, sino también para la bendición al final de la ceremonia litúrgica. La cruz procesional de la IZQUIERDA es de latón. Largo: 36,6 cm. La cruz de la DERECHA es de bronce. Largo: 31,5 cm, 68 12-30.8, 68 10-1.19.

13 ARRIBA DERECHA. Las cruces simples como ésta se hacían por lo general de hierro e incluso con menos adornos. Algunas se encuentran seguramente entre las primeras cruces etíopes. Largo: 30,8 cm. Museo del Instituto de Estudios Etíopes, Addis Abeba. DEBAJO. Cruz procesional etíope. Largo: 46,8 cm, 68 10-1.16.

14 CENTRO. Cruz etíope. Largo: 31,5 cm. Museo del Instituto de Estudios Etíopes, Addis Abeba. Los motivos decorativos de alrededor provienen de un manuscrito etíope. Decoran las páginas y están dibujados a tinta y coloreados en rojo, amarillo, azul y verde. Ancho aprox. del dibujo superior: 4 cm. Biblioteca Británica, OR 481 103 (B).

15 Decoraciones de manuscritos etíopes. ARRIBA. Manuscrito de finales del siglo XVII del Octateuco, cuatro Evangelios y Sínodo, en amarillo y rojo. El resto son anteriores al siglo XX y de la segunda a la última están coloreadas en amarillo, naranja y negro; negro, amarillo y rojo; y blanco y amarillo. Biblioteca Británica, OR 481,f 125v, OR 516 f5, OR 507 47, OR 507 115, OR 507 115.

16 ARRIBA IZQUIERDA. Rascador para los pies de alfarería bruñida de color rojo terroso en forma de cocodrilo, con motivos grabados e incisos. Largo: 22 cm, 1937 6-17.5. DEBAJO IZQUIERDA. Pieza de alfarería bruñida en rojo terroso con motivos decorativos incisos y grabados y un pájaro en la zona superior. El dibujo de ARRIBA DERECHA corresponde a la cara inferior. Largo: 13 cm, 1937 6-17.7. DEBAJO DERECHA. Rascador para los pies de alfarería bruñida de color terroso en forma de perro, con motivos decorativos incisos. Largo: 12 cm, 1937 6-17.6.

17 Decoración pintada en el exterior de unos cuencos hechos de excremento de vaca; el de ARRIBA y el de DEBAJO IZQUIERDA son de Kadaru, Sudán, en marrón, negro y blanco. Diámetro del cuenco superior: 25 cm. 1936 7-15.49, 1948 AF 6.3. El cuenco de DEBAJO DERECHA es blanco y negro y procede de las montañas de Nuba, Jebel Kadero (Kadaru) y Sudán Oriental. 1936 7-15.50.

18 Los cuchillos arrojadizos del Sudán han quedado ya anticuados como armas, aunque en algún momento ésa fue su principal función. Los ingassana, describen las partes del arma en términos antropomórficos: la hoja es la cabeza, el espolón es el pecho, el astil es la ijada y la empuñadura son las piernas. La decoración incisa en sombreado del cuello (ARRIBA DERECHA Y DEBAJO IZQUIERDA) representa la tradicional cinta en piel de lagarto que lucen los hombres y las mujeres en el cuello (*véase* el capítulo de Chris Spring en Weidenfeld y Nicolson, *Swords and Hilt Weapons* 1989). ARRIBA IZQUIERDA. Hoja de metal con empuñadura de piel, Uadai, Chad. Largo: 61 cm, 1938 10-12.1. CENTRO. Hoja de metal con empuñadura de piel, Omdurmán, Sudán. Largo: 70 cm, 1936 5-8.8. ARRIBA DERECHA. Cuchillo arrojadizo o *sai* en forma de serpiente estilizada. Hoja de hierro con motivos grabados y empuñadura de madera y piel. Ingassana, Sudán. Largo: 85,5 cm, 1928 4-9.21. DEBAJO IZQUIERDA. Cuchillo arrojadizo o *muder* con un escorpión grabado en la hoja de metal. Empuñadura de piel. Ingassana, Sudán. Largo: 74 cm, 4388. DEBAJO DERECHA. Hoja de metal con decoración grabada y empuñadura de piel. Posiblemente de Nuer, Sudán. Largo: 66 cm, 1944 AF 7.2.

19 Hachas con incisiones en las hojas de hierro y empuñaduras decoradas por pirograbado. Hausa, norte de Nigeria. HILERA SUPERIOR. Largo: 55 cm, 51,2 cm; 1959 AF 1.11, 1954 AF 23.1254. HILERA INFERIOR. Largo: 60 cm, 43 cm, 57,7 cm; 1954 AF 23.1259, 1962 AF 17.59, 1954 AF 23.1257.

20-21 Estas imágenes están tomadas de calabazas grabadas muy finamente con una punta metálica caliente con la que se van trazando líneas negras, y además están teñidas de color rojo ocre. Las calabazas las decoró probablemente un artista hausa que fue llevado a Gran Bretaña en 1924 para hacer *souvenirs* de la Exposición del Imperio Británico celebrada en Wembley ese mismo año. La inscripción en una de las calabazas identifica al artista como un hombre hausa/fulani (Audu Mai Alijeta) de la ciudad de Jalingo, situada al suodeste de Zinna en el estado de Gongola, Nigeria (M. C. Berns, *The Essential Gourd. Art and History in Northeastern Nigeria*, California 1986). Las pinturas muestran a hombres y mujeres hausa con vestidos muy elaborados, a gente con el pelo pintado y a hombres montados en caballos bellamente ajaezados. La fabricación de arreos para los caballos es una de las formas más espectaculares del arte hausa, en el que se combina el trabajo en cuero, la talla en madera, la metalistería, el bordado y el tejido. **20** ARRIBA IZQUIERDA, ARRIBA DERECHA Y DEBAJO DERECHA y **21** DEBAJO DERECHA. Altura 21,5 cm, 1954 AF 23.1284. **20** ARRIBA CENTRO. Ancho: 9,5 cm, 1954 AF 23.1287. **20** DEBAJO IZQUIERDA y **21** ARRIBA IZQUIERDA. Altura: 21,5 cm, 1954 AF 23.1283. **20** DEBAJO CENTRO y **21** DEBAJO DERECHA. Figura y automóvil basado en el Austin británico de mediados de los años veinte. Altura 17 cm, 1954 AF 23.1285. **20** DEBAJO CENTRO DERECHA y **21** DEBAJO CENTRO. Altura: 25 cm, 1954 AF 23.1282. **21** DEBAJO IZQUIERDA. Ancho: 9,5 cm, 1954 AF 23.1278.

22 ARRIBA Y CENTRO. Cuencos de calabaza decorados, grabados y ennegrecidos por punzado, Hausa, Nigeria. Diámetros: 31 cm, 12,5 cm, 1951 AF 12.132, 1946 AF 18.210 c. DEBAJO. Decoración exterior de un cuenco de calabaza, grabado pero sin ennegrecer. Diámetro: 32 cm, 1951 AF 12.133.

23 Estos cojines de piel son probablemente de Hausa. La mayoría de veces están hechos de piel de cabra, teñida de color rojo intenso. La mancha negra es óxido de hierro. ARRIBA. Parte de la funda de un cojín de piel (el fleco no se muestra). La pieza central del cojín tiene un estilo similar a las telas *adire* de los yoruba, con los cuadros contrastados en motivos repetidos (*véase* lámina **34**) en rojo y negro. Nigeria. Largo: 81 cm, 1950 AF 36.2. DEBAJO IZQUIERDA. Funda de cojín circular de piel con fleco. Rojo y negro. Diámetro: 76 cm, 1950 AF 36.1. DEBAJO DERECHA. Cojín circular de piel, probablemente de Hausa, Nigeria, bordado con tiras finas de piel de color y aplicaciones de piel. Blanco, negro y marrón. Diámetro: 54 cm, 1978 AF 7.13.

24 Las dos túnicas bordadas de ARRIBA se componen de cuatro partes: la banda estrecha de tela tejida que forma el cuerpo de la túnica; el *linzami*, una pieza triangular encajada en el cuello en la parte frontal; un gran bolsillo con bordados cosido en la parte frontal; y una banda trenzada que refuerza el material. Probablemente cada parte la hacía una artesano distinto. Los motivos son similares a los que se encuentran por todo el norte de África y la mayoría sirven para proteger del mal de ojo a quien los lleva, como los *aska* *takwas* u "ocho cuchillos" que aparece en las dos túnicas de ARRIBA. El círculo, *tambari*, es el "tambor del rey". Otros motivos populares son el doble cuadrado, o la estrella de ocho puntas (ARRIBA IZQUIERDA) y la casa del cinco (DEBAJO). ARRIBA. Túnicas de algodón teñidas con índigo y bordadas con seda. Hausa, Nigeria. Largos: 79 cm, 150 cm, 1948 AF 25.9, 1934 3-7.215. DEBAJO. Bordados en rojo, blanco y azul sobre una túnica de algodón marrón. África Occidental. Largo: 112 cm. Colección Beving, 1934 3-7.218.

25 Las cuentas las llevan los representantes de los dioses (reyes y sacerdotes) y aquellos con los que los dioses se comunican (reyes, sacerdotes, adivinos y médicos). Para hacer las coronas (ARRIBA IZQUIERDA) se ensartan las cuentas en tiras de un único color y posteriormente se hilvanan a la superficie hasta que queda cubierta del todo. La estructura puede ser de mimbre o cartón. La corona siempre consta de tres elementos: una cara, un velo con un flequillo de cuentas llamado *ibojn* que usa el rey en las ocasiones de Estado cuando encarna los poderes divinos y es peligroso mirarlo directamente a los ojos, y pájaros de cuentas que simbolizan la comunicación con los dioses y los espíritus. (*Véase* Robert Farris Thompson "The sign of the Divine King" en *African Arts*, volumen 3 (3), 1970). ARRIBA IZQUIERDA. Corona yoruba de cuentas de colores vivos como el rojo, el amarillo, el azul, el blanco, el verde y el negro. Existen pruebas de que hubo bastantes intercambios entre los antiguos yoruba y el pueblo de Benín sobre el modo de hacer las coronas de metal. Largo: 45 cm, 1954 AF 23.261. ARRIBA DERECHA. Bolsa *shango* con aplicaciones de piel y tela. Yoruba. Largo: 35 cm, 1979 AF 1.3248. DEBAJO IZQUIERDA. Bolsa de tela y piel con cuentas bordadas de color azul, rojo, amarillo, blanco y negro. Yoruba. Largo: 47,5 cm, 1965 AF 2.2. DEBAJO. DERECHA. Bolsa yoruba. Con un único recuadro de aplicación. Marrón, azul, rojo y ocre claro. Largo de la bolsa: 64 cm, 1954 AF 23.408.

26-27 Bandejas de latón de Efik, sur de Nigeria y **26** DEBAJO DERECHA base de una vasija. Diámetro: 16 cm, 1936. 11-4.6. **26** HILERA SUPERIOR. Diámetro: 35 cm, 1963 AF 6.14. Diámetro: 18 cm, 1963 AF 6.17. DEBAJO IZQUIERDA. Diámetro: 15,5 cm, 1963 AF 6.18. **27** ARRIBA. como **26** ARRIBA IZQUIERDA. CENTRO. Diámetro: 35,5 cm, 1963 AF 6.15.

28-29 Abanicos de madera de Ibibio, sur de Nigeria, decorados con diseños florales por el sistema de punzado. **28** IZQUIERDA. Largo: 66,5 cm, 1952 AF 20.141. DERECHA. Largo: 61.5 cm, 1934 3-7.488. **29** HILERA SUPERIOR. Largo: 58.5 cm, 1934 3-7.485. Largo: 39 cm, 1952 AF 20.87. CENTRO. Largo: 49 cm, 1934 3-7.486.

30-33 Paneles de puertas de madera yoruba, Nigeria. La talla y situación de las puertas indicaba el rango y el prestigio de los reyes, jefes y hombres ricos de la sociedad yoruba. Los paneles contienen escenas narrativas, talladas en relieve y enmarcadas por el *eleyofo* o cenefa decorativa. Estas escenas son inusuales en la escultura africana, que no suele ser descriptiva (*véase* J.M. Borgatti en *African Arts*, volumen 3 (1), pp. 14-19). **30** ARRIBA. Tortuga y pájaro. Altura: 21 cm. DEBAJO. Cocodrilo comiéndose un siluro. Altura: 42 cm. Ambos 1944 AF 4.80. **31** ARRIBA. Dos hombres luchando. Altura: 28,5 cm. **32** ARRIBA. Hombre en bicicleta. Altura: 41,5 cm. Ambos 1946 AF 12.5-7. **31** DEBAJO. Serpiente. Altura: 37,5 cm, 1963 AF 2.1. **32** DEBAJO. Hilera de pájaros. Altura: 37 cm, 1903 7-27.2. **33** Dos figuras con piernas en forma de pez. Altura: 30 cm, 1944 AF 4.80 (*véase* siluro, lámina **30**). DEBAJO. 1950 AF 45.547.

34 Telas *adire* yoruba, de Nigeria. Se llaman *adire* las telas teñidas por el sistema de reserva. Hay dos sistemas de teñido por reserva: de almidón (*adire eleko*) y de cosido (*adire oniko*). Los motivos que se reproducen aquí están hechos por el sistema de teñido por reserva de almidón. Cada uno tiene un nombre, tanto proverbial como sugerido por el diseño, como "pájaro". Las telas conmemorativas (ARRIBA) a menudo incluyen imágenes del rey coronado para indicar un acontecimiento relevante, en este caso *ogun pari*, "la guerra ha terminado" (Picton y Mack *African Textiles*, 1992). ARRIBA IZQUIERDA. Diseños estarcidos. Largo: 162 cm, 1971 AF 35.26. ARRIBA DERECHA, DEBAJO IZQUIERDA Y DERECHA. Motivos pintados a mano, de una tela cuyo diseño global se llama *Olukun* o "diosa del mar". Largo: 196 cm, 1971 AF 35.17. DEBAJO CENTRO. Motivo estarcido que representa un pájaro. Yoruba, Ifé. Ancho: 180 cm, 1953 AF 17.24.

35 Banderas fante de colores brillantes procedentes de Ghana, y hechas con aplicación, *patchwork* y bordado. Las banderas identificaban a diferentes grupos de guerreros fante conocidos como *asafo* y se utilizaban en tiempo de guerra para intimidar al enemigo (Adler y Bernard *Asafo! African Flags of the Fante*, 1992). ARRIBA IZQUIERDA. Gallo tomado de una bandera, portador del siguiente mensaje: "controlamos el gallo y el pájaro del tiempo" (controlamos el tiempo y decidimos cuándo hay que hacer las cosas). ARRIBA CENTRO. Esta bandera podría simbolizar un enfrentamiento histórico, o representar la protección de un lago o estanque sagrado. La bandera nacional data de la presencia británica en Ghana y tras la independencia se reemplazó por la tricolor ghanesa. ARRIBA DERECHA. Buitre tomado de una bandera con el proverbio "venimos a luchar; vosotros no, simples buitres". Los akan consideran el buitre un ave desagradable y ofensiva. CENTRO IZQUIERDA. El motivo decorativo representa los proverbios "volarás o desaparecerás" y "sin cabeza, la serpiente no es más que una soga". CENTRO. En la selva de los fante no hay leones, pero su popularidad como símbolo de poder proviene de su uso frecuente en la heráldica europea. CENTRO DERECHA. Esta bestia está inspirada en el dragón de la heráldica europea. DEBAJO. Árbol de la vida.

36 Vasijas de latón ashanti (*kaduo*), Ghana, hechas por el procedimiento de la cera perdida: se moldea el objeto en cera, se recubre con arcilla, dejando un agujero para que la cera se escurra, se calienta la pieza para fundir la cera y para que ésta escape, y finalmente se vierte el metal fundido en el molde de arcilla. Se decora en el momento de moldear la cera. Las vasijas eran muy apreciadas por los ashanti y se utilizaban durante ciertos ritos en los que se llevaban ofrendas de comida y bebida a los antepasados. A veces se llenaban con polvo de oro para ser enterradas con gente de categoría. Estos dibujos muestran tapas menos elaboradas con símbolos de cerraduras, patas de hierro o grilletes, arcos, flechas y llaves. *Véase* M. D. McLeod *The Asante*,

1981. ARRIBA. Dos peines, dos taparrabos, grilletes y un látigo. Diámetro: 10,8 cm, 1978 AF 22.132 a y b. CENTRO. Los símbolos incluyen dos taparrabos. Diámetro: 10 cm, 1947AF 13.18 a y b. DEBAJO. Roedor comiéndose una serpiente. Diámetro: 10 cm, 1978 AF 22.130 a y b.

37 HILERA SUPERIOR. Tapas de latón de vasijas ashanti. IZQUIERDA. Para contener polvo de oro. Largo: 23 cm, 1938 5-9.1. DERECHA. Esta tapa de latón de una vasija *kuduo* lleva un mango incorporado, no dibujado. Diámetro: 10 cm, 1978 AF 22.178. DEBAJO IZQUIERDA Y DERECHA. Vasija *forowa* de latón, Kumasi, Ghana. Los dibujos de la gallina de Guinea y las serpientes se han realizado por punteado en la parte frontal del objeto y se han rellenado con pigmentos blancos para que destaquen. Este tipo de vasijas se hace con planchas de latón repujadas y sirven para guardar cosméticos. Normalmente las *forowa* son de estilo europeo. Altura: 20 cm, 1936 10-22.7.

38-39 El oro jugaba un papel importante en los símbolos de los líderes ashanti. Cuando los portugueses llegaron a Costa de Oro, describieron a sus jefes cubiertos de dijes de oro, indicando con ello que la fundición de oro ya era una práctica común en el siglo XV. El oro entraba en grandes cantidades en la corte real y se intercambiaba con los europeos por armas, pólvora y balas, y servía para comprar objetos de metal, telas y licores europeos. En el siglo XIX los fundidores de oro de Kumasi estaban bajo control real y podían trabajar para los jefes de mayor edad con el permiso del Asantehene. Estas insignias de oro se fundían por el procedimiento de la cera perdida (*véase* **36**) y la decoración se moldeaba con hilos de cera durante el proceso de fundido. Algunas decoraciones son repujadas, martilleando la plancha de oro después de fundida. **38** ARRIBA. Diámetro: 22 cm, 1925 10-24.1, siglos XIX-XX. DEBAJO. Diámetro: 9,5 cm, 1900 4-27.25, siglo XIX. **39** ARRIBA. Diámetro: 4,6 cm, 1942 AF 9.1, siglos XIX-XX. DEBAJO IZQUIERDA. Diámetro: 6,8 cm, 1900 4-27.26, siglo XIX. DERECHA. Diámetro: 6,4 cm, 1900 4-27.29, siglo XIX.

40-44 Cajas de madera de Ghana hechas para los europeos por un tallador activo en la zona de Abetifi de Kwatu antes de 1906. **40** ARRIBA. Tapa de una caja (*véase* **43**, ARRIBA). Altura: 24 cm, 1978 AF 22.218. DEBAJO. Lado de una caja (*véase* **41**, DEBAJO). Largo: 31,5 cm, 1978 AF 22.211. **41** ARRIBA (*véase* **42**, CENTRO). Largo: 29 cm, 1978 AF 22.213. DEBAJO (*véase* **40** DEBAJO). **42** ARRIBA. Largo: 34,5 cm, 1978 AF 22.212. CENTRO (*véase* **41**, ARRIBA). DEBAJO. Tapa con una serpiente enroscada. Altura: 18 cm, 1978 AF 22.216. **43** ARRIBA (*véase* **40**, ARRIBA). DEBAJO (*véase* **42**, DEBAJO). **44** ARRIBA. Diámetro: 23 cm. DEBAJO IZQUIERDA. Diámetro: 18 cm. DERECHA. Diámetro: 11,5 cm. El número de inventario de todos ellos es 1954 F23 1513-1519, colección Wellcome, Museo del Hombre.

45 Todos los taburetes ashanti (*nkonnua dwa*) de Ghana tienen la misma forma básica (una base rectangular con una columna central que soporta el asiento rectangular), pero varían en los detalles. Están tallados de un solo bloque de madera. Algunos estilos, por ejemplo el leopardo y el elefante, se tallaron en su momento sólo para el Asantehene, pero ahora ya no existe control del rey sobre los taburetes. Los taburetes reales o para uso de los jefes eran más grandes y más elaborados que el resto, y a veces tenían incrustaciones de oro y plata. Los portadores del taburete del jefe portan todavía hoy los taburetes de los grandes jefes en los actos públicos (M. D. McLeod, *The Asante*). ARRIBA IZQUIERDA. Taburete en forma de elefante. Altura: 42 cm, 1978 AF 22.806. ARRIBA DERECHA. Taburete en forma de leopardo, ashanti/fante. Altura: 49 cm, 1954 +23.3216. DEBAJO IZQUIERDA. Altura: 39 cm, 1978 AF 22.808. DEBAJO DERECHA. Ashanti/fante. Altura: 33 cm, 1954 +23.3213.

46-48 Peines ashanti de la colección Barclay, Museo del Hombre, reunidos antes de los años veinte. **46** ARRIBA. Largo: 19,5 cm, 1978 AF 22.233. DERECHA. Largo: 26,6 cm, 1978 AF 22.234. CENTRO. Largo: 24 cm, 1948 AF 25.30. **47** ARRIBA. Reverso de la lámina **46**, CENTRO. DEBAJO IZQUIERDA. Largo: 22,6 cm, 1978 AF 22.236. DERECHA. Largo: 22,5 cm, 1978 AF 22.235. **48** HILERA SUPERIOR. Largo: 23,3 cm, 1978 AF 22.237. DEBAJO. Reverso de la lámina **47**, DERECHA.

49 Las telas *adinkra* toman el nombre del sistema de teñido utilizado, que significa "adiós" o "despedida". Es probable que este tipo de tela se llevara en un principio en funerales o actos de despedida de huéspedes, pero actualmente se lleva en otras ocasiones importantes. Altura aproximada de cada sello *adinkra:* 5 cm, 1978 AF 22.4 a-r. Colección Barclay, Museo del Hombre.

50-51 El Abbia es un juego de azar parecido a los dados. Las piedras (*mvia*) se tallaban en relieve sobre las pepitas de un árbol, duras y de forma elíptica. La talla no cumple ninguna función en el juego y es puramente ornamental (F. Quinn "Abbia Stones" en *African Arts*, volumen 4 (4)). Las piedras proceden de Yaundé, Camerún; posiblemente las tallaron los m'velle, pero fueron empleadas por otros en Yaundé y Gabón, así como por la tribu beti cerca de Douala, costa del Camerún. Largo aproximado: 3 cm, 1948 AF 7-5.58, 1974 AF 2.2 a-am.

52 Gorras de algodón. HILERA SUPERIOR. Gorras bordadas de Sierra Leona, a la IZQUIERDA en rojo y negro. Altura: 39 cm, 2799. DERECHA. Altura: 33 cm, 1943 AF 2.8. HILERA INFERIOR. Vista aérea de gorras blancas de algodón con bordado en negro, posiblemente de Senegal o de Gambia. Altura: 13,5 cm, 1934 3-7.468. Altura: 14 cm, 1934 3-7.474. Altura: 14 cm, 1934 3-7.466.

53 ARRIBA. Cojín de piel grabada y teñida con diseños en rojo y negro, Mauritania. Largo: 53 cm, 1979 AF 1.562. DEBAJO. Bolsa de piel, quizás para almacenar agua, con diseños en rojo y negro, Mauritania. Largo: 85 cm, 1979 AF 1.461.

54 Se cree que cuando los portugueses llegaron a las costas de Guinea llevaban consigo tejidos mozárabes y que enseñaron a los tejedores locales a copiar los motivos. CENTRO IZQUIERDA Y DEBAJO IZQUIERDA. Ejemplos de estos motivos geométricos de estilo renacentista que todavía hoy se tejen. Los tejedores aún incorporan nuevos diseños, como caras y personas (Picton y Mack, *African Textiles*, 1992). Estos tejidos proceden de Manjaka o Papel, Guinea Bissau. ARRIBA. Algodón blanco y negro con el retrato y el nombre del líder revolucionario Amicar Cabral. Largo: 180 cm, 1989 AF 5.164. El resto de los dibujos están tomados de textiles de algodón tejidos en blanco y negro que seguramente se usaban como mortaja, o los llevaban hombres y mujeres de alto rango en ocasiones especiales. CENTRO IZQUIERDA. Largo: 179 cm, 1989 AF 5.156. CENTRO DERECHA Y DEBAJO DERECHA. Largo: 206 cm, 1934 3-7.196. DEBAJO IZQUIERDA. Largo: 189 cm, 1989 AF 5.165.

55 Estas telas (*bogolanfini*) hechas por los bámbara, de Mali están teñidas por el sistema de estampado por corrosión, pintando motivos con barro del río sobre algodón teñido de amarillo. Se retira el tinte de la zona más clara utilizando una sustancia cáustica. El resto de la tela es marrón oscuro y blanco. Con esta tela se hacen blusas sin mangas para los hombres, faldas para ir de caza y camisas para las mujeres; todos los diseños tienen nombres. ARRIBA. Largo: 134 cm, 1987 AF 7.15. CENTRO. Largo: 147 cm, 1987 AF 7.13. DEBAJO. 149 cm, 1987 AF 7.11.

56-58 Los bámbara (o bamana) son un pueblo agrario que conserva un elaborado sistema de símbolos esculturales propiciatorios de salud, crecimiento y prosperidad para las cosechas, los animales y las personas. *Tji wara koun* significa, literalmente, "sombrero de animal de granja" y representa el antílope mítico que enseñó la agricultura a los hombres. Se evoca su espíritu durante la siembra y la cosecha para asegurar cultivos fértiles. Estos tocados se llevan por parejas masculinas y femeninas sobre gorras de cestería. Los diseños más abstractos como en la lámina **56** ARRIBA CENTRO proceden del distrito de Bougouni. El femenino aparece con una cría (por ejemplo en la lámina **57** ARRIBA CENTRO). Largo del dibujo de ARRIBA A LA IZQUIERDA: 112 cm. Todos los ejemplos están tomados de R. Goldwater, *Bambara Sculpture from the Western Sudan*, Museo de Arte Primitivo, Nueva York, 1960, excepto el de la lámina **57** ARRIBA IZQUIERDA y CENTRO (1956 AF 27.7 y 8). Para referencias sobre los objetos de las láminas **59-77** *véase* P. Ben-Amos y A. Rubin (ed.), *The Art of Power, the Power of Art. Studies in Benin Iconography*, 1983.

59 Tallas de dos tapas de madera de Benín. Diámetro: 31,2 cm, 1954 AF 23.303. Diámetro: 32,5 cm, 1954 AF 23.304. HILERA SUPERIOR. Cara y serpiente. CENTRO. Leopardo. DEBAJO. Pez y cocodrilo. La pitón era la reina de las serpientes y la mensajera de Olokun, señor de las grandes aguas. Los estudiosos han confundido el cocodrilo con un caballo.

60 ARRIBA Y DEBAJO, y **61** ARRIBA. Los lados y el extremo de un apoyabrazos metálico utilizado por el Oba de Benín. Fondo del extremo: 34 cm, 1954 AF 23.403. **60** CENTRO. Brazalete metálico de Benín con dos soldados portugueses. Altura: 14,3 cm, 1944 AF 4.23. **61** Campana de latón del río Forcados, sur de Nigeria. Se desconoce la fecha concreta de ejecución de la campana, pero data de la época de la industria del bronce del Bajo Níger. Altura: 16,5 cm, 1909 8-11.2.

62 ARRIBA. Máscara de disfraz en bronce en forma de cabeza de leopardo, Benín. Los jefes edo se colgaban estas máscaras o colgantes de la cadera izquierda. De la máscara podían haber colgado minúsculas campanas. El leopardo se consideraba el rey de la maleza y sólo podía ser sacrificado por el rey durante la ceremonia anual de reafirmación de su divinidad. Altura: 18 cm, 1954 AF 23.286. DEBAJO. Leopardo de Benín hecho de plancha de latón. Altura: 11 cm, 1954AF 21.1.

63-65 Tallas de madera de la corte de Benín. La madera la tallaban dos grupos concretos. El gremio de la madera y el marfil tallaba los temas tradicionales; los pajes reales sólo tallaban madera, con la que realizaban taburetes y objetos variados, a menudo de influencia europea. **63** ARRIBA Y DEBAJO y **64** DEBAJO. Lados de una caja de nuez de cola con diseños de flores, hojas, pájaros y entrelazados. Altura: 5,8 cm, 1954 AF 23.306. **63** CENTRO. Placa donde se representa, a la derecha, el portador (*amada*) de la espada del Oba con la espada ceremonial o *ada*. Cuando la punta mira hacia abajo, representa el homenaje a los antepasados que habitan en el mundo de los espíritus. Las cabezas cortadas indican poder. En otra época se celebraban sacrificios humanos para que las ceremonias resultaran satisfactorias. La sangre sacrificial concedía poder místico a los objetos. La figura central es probablemente el Oba, con la corona de cuentas y dos largas sartas también de cuentas. El *amada* lleva franela roja cosida en escamas, imitando la piel del pangolín o del armadillo. El pangolín representa protección frente al peligro, ya que cuando se siente amenazado se enrosca formando una bola. Largo: 66 cm, 1954 AF 23.300. **64** ARRIBA. Extremo de una caja donde aparecen pájaros con bayas en los picos. Altura: 19,5 cm, 1954 AF 23.305. HILERA CENTRAL y **65** DEBAJO. Diseños de un cuenco circular en cuya tapa aparecen pájaros, hojas, serpientes, bayas y nueces. Diámetro: 28,5 cm, 1954 AF 23.302 a y b. **65** IZQUIERDA CENTRO Y DERECHA. Diseños de la tapa de una caja. Es probable que el pájaro no se esté comiendo la serpiente, sino más bien que la serpiente emerja de la boca del pájaro, lo cual indica el poder de los espíritus. El motivo de entrelazado era símbolo de rango social en Benín. Altura: 6,8 cm, 1944 AF 4.70 a y b.

66-67 Placas de bronce de Benín. En 1897 los británicos llegaron a la ciudad de Benín, de donde se llevaron varios cientos de placas. El latón y el marfil eran los dos materiales más importantes del arte real por su durabilidad. ARRIBA. El cocodrilo, después del pez, es la figura más habitual en las placas. Se le reverenciaba por su ferocidad y tenacidad y representa el poder del Oba. Tanto el rey como el cocodrilo tenían el poder de quitar la vida. Ancho: 37 cm, 98.1-15 172. DEBAJO. Los peces son el motivo más habitual en las placas (66 de los 900 conocidos); aparecen de dos maneras: con barbas vistos desde arriba, o sin barbas vistos de perfil. Ancho: 18,7 cm, 98 1-15.184. **67** ARRIBA. La espada ceremonial, o *eben*. Con la punta hacia abajo representa homenaje a los antepasados. Cuando se lleva en la mano izquierda se la asocia con el mundo de los espíritus; en la mano derecha con la punta hacia arriba significa lealtad al Oba. Largo: 37 cm, 98 1-15.177. DEBAJO IZQUIERDA. En la cultura edo la cabeza simboliza supervivencia y realización o, con menor frecuencia, el sacrificio de un cocodrilo a Olokun, dios de las aguas. Largo: 45 cm, 98.1-15 182. DEBAJO DERECHA. Dos cabezas de portugueses (*véase* lámina **61**, ARRIBA). Largo: 45,5 cm, 98.1-15 9.

68-69 ARRIBA. Asiento de un taburete de bronce de Benín con dos siluros; este pez se consideraba el mensajero de Olokun, dios de las aguas, porque podía vivir tanto en el agua como en la tierra. Las especies que aquí se muestran pueden producir descargas eléctricas y se asocian con el poder divino del Oba. Otras especies representan la prosperidad, la fecundidad y la paz. Largo: 37,5 cm, 1923 10-13.1. DEBAJO. Siluro de una placa de Benín. Las barbas o barbos del pez representan la fuerza sobrenatural. Largo: 43 cm, 1908 12-5.4. **69** Placas de Benín. ARRIBA. Dos siluros entrelazados con barbos. Largo: 47 cm, 98 1-15.190. CENTRO Y DEBAJO. Una placa y uno de los peces. Largo: 46 cm, 98 1-15.193.

70-77 Antes, todo el marfil de Benín lo controlaba el Oba, que se quedaba con un colmillo de elefante de cada par. El marfil representaba la fuerza y la longevidad; su color era símbolo de pureza, prosperidad y paz. El gremio de los talladores de marfil se conocía como *igbesanmwan*.

70-72 ARRIBA IZQUIERDA Y DERECHA. De la tapa de una vasija de Owo, Nigeria. El guerrero a la IZQUIERDA lleva un puñal curvo, arco y flechas. Altura: 11 cm, 78 11-1.327. A la DERECHA aparece un hombre que surge de la boca de una serpiente con una caracola en la mano. CENTRO. De un brazalete de marfil con entrelazado, Yoruba, Nigeria. Altura: 16,8 cm, 120 1920 11-2.1. 70 HILERA INFERIOR, **71** y **72** DEBAJO. De una copa de marfil con aro y base de metal. Un cocodrilo comiéndose un pez, y un elefante con la trompa acabada en dos brazos y sosteniendo hojas lo que representaba poder y realeza. Las hojas a menudo simbolizan la medicina. Los animales tallados decoran la circunferencia superior de la copa. Aparecen otros motivos como los monos, el siluro, un gallo (lámina **71**) y un motivo de entrelazado (lámina **72**). Altura: 23,2 cm, 1929.30. **72** ARRIBA. Caja yoruba, sur de Nigeria. Adviértase los motivos similares al elefante (lámina **70**) y el doble pájaro (lámina **71**). 8801. IZQUIERDA. Pájaro tallado en un colmillo de elefante profusamente decorado con pájaros y personas y procedente de la zona Babanki-Bafut de Camerún. Altura del pájaro: 7,5 cm, 1948 AF 40.5. CENTRO. Pájaro de un colmillo de elefante decorado de Benín. Altura: 25,5 cm, 1961 AF 9.2. DERECHA. Brazalete de Benín con caras de portugueses y espadas ceremoniales. Altura: 12,4 cm, 1922 3-13.3.

73 IZQUIERDA Y DERECHA. Colmillo tallado con los bordes de la base dorados; procedente de Sapi, Sierra Leona. Altura del ángel: 9,5 cm, 1979 AF 1.3156. CENTRO. Figura de un salero. El salero consta de tres secciones y muestra a aventureros y comerciantes portugueses. Estos marfiles "afroportugueses" se cuentan entre los primeros objetos de arte turístico de África. Los hicieron los talladores reales de marfil de la corte de Benín e iban destinados a la exportación. Finales del siglo XV o principios del XVI. 78.11-1.48 a, b y c.

74-77 Colmillos tallados y figuras talladas en colmillos. **74** IZQUIERDA Y CENTRO. De Setté-Cama, Gabón. Altura: 59 cm y 31 cm, 1904. 11-23.3 y 4. DERECHA. De los kongo, Zaire. Altura: 38,5 cm, 1940 AF 11.5. **75** Todos del Zaire. HILERA SUPERIOR. Hombre con una tetera en la mano, y hombre con bastón y sombrero. El número de inventario de ambos es 1904 11-22.3. Figura sentada, mujer y hombre con bastón y sombrero. El número de inventario de todos ellos es 1940 AF 11.5. CENTRO Y DEBAJO CENTRO Y DERECHA. Tres hombres con la pierna doblada, colmillo y bolsa, un pez y un hombre que sostiene un bebé. El número de inventario de todos ellos es 1904 11-22.3. DEBAJO IZQUIERDA. Hombre con plátanos en la mano. 11-22.4. Altura media: 6 cm. **76** y **77** ARRIBA IZQUIERDA Y DEBAJO DERECHA. Figuras talladas en un colmillo del Bajo Congo, Zaire. Altura de la figura de la izquierda: 14,5 cm, 1954 AF 23.1691. **77** ARRIBA DERECHA Y DEBAJO IZQUIERDA. Altura: 15,5 cm, 1954 AF 23.1962.

78 ARRIBA IZQUIERDA Y DERECHA, DEBAJO CENTRO. Calabazas decoradas del Zaire. Altura: 46 cm, 1954 AF 23.1736; 29 cm, 1954 AF 23.1738; 30 cm, 1954 AF 23.1739. El resto de los dibujos están tomados de una vasija de barro bruñido con motivos incisos. Altura: 30 cm, 1954 AF 23.5152.

79 Cuchillos. DE IZQUIERDA A DERECHA. Hoja de metal y mango de madera de Monzombo, República Centroafricana. +5718. Empuñadura forrada de piel con hoja de metal decorada de Yakoma, norte del Zaire. 1947 AF 27.4. Empuñadura con cinta de cobre y hoja de metal, también de Yakoma. 1949 AF 46.802. Cuchillo con empuñadura de madera y hoja de metal de noreste del Zaire. 98-158. Cuchillo con empuñadura de cinta de cobre y remaches metálicos de Ngombe, noroeste del Zaire. 1956 AF 12.1. Cuchillo con empuñadura de madera de Cibaya, Camerún/República Centroafricana. 1900 5-25.2. Largo del cuchillo de la IZQUIERDA: 43,5 cm. HILERA CENTRAL. Cuchillo y cuchillo arrojadizo del Zaire. Largo del cuchillo de la IZQUIERDA: 57,5 cm, 1949 AF 46.526, 1947 AF 27.6. HILERA INFERIOR, IZQUIERDA. Sable con líneas grabadas en la hoja, Azande noreste del Zaire. Altura: 69 cm, 1979 AF 1.1695. CENTRO. Cuchillo arrojadizo de Ngombe, noroeste del Zaire. 1947 AF 27.5. Espada de Ngombe. 1979 AF 1.1694.

80 Tejidos kuba de terciopelo del Zaire. Los hilos de rafia se sacan a través de la trama del tejido, dejando un pequeño cabo suelto cortado formando un mechón. El resultado es el "terciopelo de Kasai". ARRIBA. Textil de rafia adornado con terciopelo y bordado convencional en rosa pálido con crema, negro y gris. Los kuba tiñen la base de la tela púrpura y sólo cubren parcialmente la superficie con mechones para que las zonas teñidas se transparenten como parte del motivo. Largo: 72 cm, 1979 AF 1.3210. CENTRO. Textil de rafia kuba-shoowa con bordado de terciopelo, Zaire, siglos XIX-XX. Los shoowa cubren todo el tejido con terciopelo, contrastando los colores oscuros y claros, en este caso negro y rafia natural. Largo: 71 cm, 1922 3-6.1. DEBAJO. Los pueblos kuba del centro utilizan varias técnicas decorativas, incluido el bordado convencional. Kuba-Bushoong, Zaire. Largo: 65 cm, 1909 5-13.410.

81 Cajas de madera labrada hechas por los kuba, los ngongo y los ngeende. Este tipo de cajas las hacen los hombres y las utilizan las mujeres para guardar joyas y cosméticos. El cuarto creciente representa el período de mayor fertilidad. Las tres de ARRIBA, alturas: 8,87 cm, 7,8 cm, 9,5 cm, 1908 Ty 18,23 y 33. DEBAJO. Largo: 28 cm., 1909 5-13.33.

82 Copas para beber de wongo, Zaire. Altura de la copa de ARRIBA: 16 cm. Desde ARRIBA en la dirección de las agujas del reloj: 1910 4-20.11, 49, 29.

83 Estas esteras tejidas, procedentes de lo que ahora es el Zaire, se adquirieron antes de 1928 para el Museo Wellcome de Historia Médica. Largo: 192 cm, 130 cm, 1954 AF 23.3699 y 3703.

84 Motivos de cenefa tomados de faldas de rafia femeninas, Mbuun, sur del Zaire, siglos XIX-XX. La rafia es la única materia prima utilizada en el tejido del Zaire. Sólo tejen los hombres, mientras que las mujeres se encargan de los bordados. DE ARRIBA ABAJO. Rafia marrón oscuro y ocre claro natural. Largo: 99 cm, 1910 4-20.390. Largo: 86 cm, 1909 12-10.12. Largo: 115 cm, 1910 4-20.391. Largo: 113 cm, 1910 4-20.589.

85 Seis cestos llanos tejidos por los tutsi, Ruanda. HILERA SUPERIOR, IZQUIERDA. Diámetro: 14 cm, 1948 AF 8.37. DERECHA. 1937 10-6.5. HILERA CENTRAL, de IZQUIERDA A DERECHA. 1937 10-6.6, 1948 AF 8.420 y 8.422, 1937 11-5.4. HILERA INFERIOR. Tres cestos de Ruanda con tapa, de IZQUIERDA A DERECHA, altura: 32 cm, 1948 AF 8.26 a y b, 8.33 a y b, 8.27 a y b. El cesto de la DERECHA se hizo en casa del gran jefe Kumusini. El tejido recibe el nombre de *koboha*, y el motivo se llama *umuras*.

86 Cesto de Kenya y taburetes luo, también de Kenya. ARRIBA. Cesto de rafia natural, roja, negra y amarilla. Diámetro: 28,8 cm, 1922 6-9.3 b. IZQUIERDA. Gran taburete de madera decorado con cuentas blancas, azules, rojas y negras. Diámetro: 48,5 cm, 1943 AF 2.4. DERECHA. Taburete con cuentas rojas, blancas, azules, verdes y amarillas incrustadas en la madera. Diámetro: 45 cm, 1943 AF 2.5.

87 Calabazas de Kenya decoradas por el sistema de punzado, donde se utiliza una punta caliente para ennegrecer partes de la calabaza. ARRIBA. Diámetro: 15,3 cm. CENTRO. Diámetro: 39 cm. DEBAJO. Diámetro: 36,5 cm. Colección privada de Fenella White.

88 Ligeros escudos kikuyu de danza o *ndome* para la danza muumgburo. Normalmente los tallan especialistas. Los chicos pasan los escudos a sus hermanos menores, que rascan la pintura nueva y sustituyen el diseño (L. S. B. Leakey *The Southern Kikuyu before 1903*, vols. 1-3, Academic Press, 1977). ARRIBA IZQUIERDA. Rojo y negro sobre fondo blanco. Largo: 67 cm, 1931 11-18.61. ARRIBA CENTRO Y DERECHA. Tomados de W. S. Routledge y K. Routledge *Akikuyu of British East Africa*, 1910. CENTRO. Rojo y negro sobre blanco. Largo: 62,5 cm, 1921 10-28.12. DEBAJO IZQUIERDA. Interior y CENTRO exterior de un escudo, pintado en rojo, negro y blanco. Largo: 63,6 cm, 1931 1.11-18.63. DEBAJO DERECHA. Rojo y negro sobre blanco. Largo: 63,6 cm, 1947 AF 16.43.

89 Cada centro importante de Madagascar tiene su propia gama de estilos y motivos decorativos (John Mack *Madagascar. Island of the Ancestors*, 1986). Los motivos están descritos según una jerarquía de "letra", "palabra" o "frase", dependiendo de su complejidad. HILERA SUPERIOR, IZQUIERDA. Cesto tejido en rosa, púrpura, verde y amarillo. Altura: 35 cm, 1984 N14.342. CENTRO. Cesto púrpura, blanco y verde. Altura: 27 cm, 1984 N14.345. CENTRO. Estera tejida con diseños en púrpura sobre rafia de color natural. Largo: 154 cm, 1985 AF 17.222. DEBAJO IZQUIERDA Y DERECHA. Cestos tejidos en púrpura, azul, amarillo, verde y rosa. Altura: 34,5 cm, 1984 N14.343, 344.

90 ARRIBA IZQUIERDA. Panel de ventana decorado. Altura: 59 cm, (159) 68-OD-33 (ZFMN) Museo de Arte y Arqueología, Madagascar. ARRIBA DERECHA. Taburete de madera tallada. Altura: 13,5 cm, 1985 N17.55. DEBAJO IZQUIERDA. Altura: 15 cm, (157) 64-5-442 (ZFMN), y DEBAJO DERECHA, caja de madera decorada con tapa. Altura: 20 cm, (83) 63.10.15 (a,b) (MF). Ambos del Museo de Madagascar.

91 Salvamanteles y (HILERA CENTRAL) cestas compradas en el mercado de Harare, Zimbabwe, en 1992. Altura de la estera de ARRIBA A LA IZQUIERDA: 28,8 cm. Colección privada.

92-93 Reposacabezas de madera tallada, Shona, Zimbabwe. **92** Altura del primer reposacabezas: 15,5 cm. HILERA SUPERIOR. 1956 AF 27.282, 1949 AF 46.815. HILERA CENTRAL. 1935 7-15.5, 1949 AF 46.809. HILERA INFERIOR. 1935 7-15.1, 1949 AF 46.808. **93** HILERA SUPERIOR. 1921 6-16.43, 1899 4-22.1. HILERA CENTRAL. 1949 AF 46.807, 1952 AF 26.42. HILERA INFERIOR. 1892 7-14.152 y 151.

94 Los cestos están hechos en su mayoría por los hambukushu y los bayeyi que viven en la zona del delta del Okovango en Basubiya, en el río Choke, en Bababirwa, Botswana. Generalmente las mujeres se encargan de tejer, aunque los hombres hacen cestos de aventar atablillados y grandes recipientes para guardar grano. Durante los últimos veinte años se ha establecido un comercio nacional e internacional que ha revitalizado la artesanía de Botswana. Cada diseño tiene un nombre, otorgado por los vendedores más que por los propios tejedores. ARRIBA. Tapiz de algodón blanco estampado con un motivo compuesto de diseños de cestos en negro y rojo, Mochudi, Botswana. Museo Nacional, Galería de Monumentos y Arte de Botswana. Los diseños en los cestos son: CENTRO IZQUIERDA "frente de una cebra", DERECHA "escudo", DEBAJO IZQUIERDA "rastro de orina del toro" y DERECHA "rodillas de la tortuga" o "vuelo de la golondrina".

95 ARRIBA Y CENTRO IZQUIERDA. Cinturones de Sudáfrica con motivos en verde, rosa, azul, negro y blanco. Ancho: 32 cm, 1949 AF 29.16, 1979 AF 1.2754. DERECHA. Cuentas blancas, azules, rojas y negras. Zulú. Largo: 42 cm, 1922 11-7.1. DEBAJO. Verde, blanco, negro y rosa con franja roja. Zulú. Ancho: 30 cm, 1937 2-20.2.

96 HILERA SUPERIOR. Collares y brazaletes para el tobillo de cuentas, Sudáfrica. DE IZQUIERDA A DERECHA. Collar con motivos en rojo y negro sobre fondo blanco, y cuentas azules para el borde y la borla, con una moneda en el extremo. Largo: 52 cm, 1933 6-9.29. Brazalete para el tobillo negro y blanco. Largo: 24 cm, 1910 10-5.30 b. Motivos rojos y azules sobre fondo blanco, con borla azul, roja y blanca. Largo: 37 cm, 1933 6-9.21. Brazalete para el tobillo blanco y negro. Largo: 25 cm, 1910 10-5.32 b. Motivos rojos y negros sobre fondo blanco con bordes azules y borla y una moneda en el extremo. Largo: 49 cm, 1933 6-9.26. HILERA CENTRAL DE IZQUIERDA A DERECHA. Brazaletes para el tobillo blancos y negros. Largo del brazalete de la IZQUIERDA 18,5 cm, 1910 10-5.31 b, 30 a, 31 a. HILERA INFERIOR. Corbata de cuentas xhosa blanca con motivos azules y rojos. Largo: 33 cm, 1970 AF 24.5. Collar xhosa blanco con motivos rojos y azules. Largo: 20 cm, 1970 AF 24.7. Fondo blanco con motivos rojos, azules y negros. Largo: 45 cm, 1933 6-9.31.

97-100 Todos los dibujos están tomados del libro de P. Changuion *The African Mural*, Struik Publishers, Ciudad del Cabo, 1989. **97** A menudo los artistas ndebele pintan estos diseños con ambas manos para formar una imagen especular. El diseño de DEBAJO IZQUIERDA es simétrico y los de ARRIBA DERECHA y DEBAJO IZQUIERDA presentan simetría rotacional. El último fue pintado por Malvel Dasi, un artista del Estado Libre de Orange. El objetivo de los murales no sólo es conservar las paredes de la casas, sino también ser decorativos y simbólicos (Kwami, 1993). Como las pinturas se desgastan rápidamente, existen pocos ejemplos de más de tres o cuatro años. El artista pinta a menudo sobre la misma pared año tras año. Las pinturas ndebele se caracterizan por tener tres etapas: en la primera se utilizan diseños monocromos; en la segunda se representan plantas y animales estilizados en color y en la tercera se hacen diseños en color basados en la moderna arquitectura urbana. **98-100** Las pinturas murales del sur de Sotho están influenciadas por los artistas ndebele, que utilizan formas geométricas básicas en sus collares, brazaletes, delantales y brazaletes de cuentas para el tobillo. Los guijarros se emplean para hacer motivos decorativos en mosaico y los motivos repetitivos se realizan mediante plantillas de cartón.

Bibliografía

Aafjes-Sinnadurin, U. *The Kingdom of Benin* (Teachers' Pack), Commonwealth Institute, 1992.

Adler, P. y Barnard, N. *Asafo! African Flags of the Fante*, Thames and Hudson, 1992.

Bassani, E. y Fagg, W. *Africa and the Renaissance, Art in Ivory*, editado por Susan Vogel. The Centre for African Art, Nueva York, 1988.

Ben-Amos, P. y Rubin, A. (ed.), *The Art of Power, the Power of Art. Studies in Benin Iconography*, The Museum of Cultural History, California, Pamphlet Series 19, 1983.

Berns, M. *The Essential Gourd. Art and History in North-eastern Nigeria*, Universidad de California, 1986.

Borgatti, J. M. "Yoruba Doors", *African Arts*, vol. 3 (1), 1969.

Brain, R. *Art and Society in Africa*, Longman Group Ltd, 1980.

Bravmann, R. A. *Islam and Tribal Art in West Africa*, Cambridge University Press, 1974.

Changuin, P. *The African Mural*, Struik Publishers, Ciudad del Cabo, 1989.

Coe, M. D., Conolly, P., Harding, A., Harris, V., LaRocca, D. J., Richardson, T., North, A., Spring, C. y Wilkinson, F. *Swords and Hilt Weapons*, Weidenfeld and Nicholson, Londres, 1989.

Crowe, D. W. "Geometric Symmetries in African Art", en C. Zaslavsky. *Africa Counts*.

Crowley, D. J. *The Crafts as Communication: the Visual Dimension of Pan-Africanism*. Universidad de California, 1979.

Davis, C. B. *The Animal Motif in Bamana Art*. Galería Davis (catálogo), 1981.

Denyer, S. *African Traditional Architecture*, Heinemann Educational Books, 1982.

Ellert, H. *The Material Culture of Zimbabwe*, Longman Zimbabwe Ltd, 1984.

Fagg, W. y Picton, J. *The Potter's Art in Africa*, British Museum Publications Ltd, 1970.

Feest, C. "European Collecting of American Indian Artefacts and Art". *Journal of the History of Collections*, vol. 5, núm. 1, 1993.

Garlake, P. *The Kingdoms of Africa*, Elsevier-Phaidon, 1978.

Garlake, P. *The Painted Caves. An Introduction to the Prehistoric Art of Zimbabwe*, Modus Publications, Zimbabwe, 1987.

Heathcote, D. *The Arts of the Hausa*, World of Islam Festival Publishing Company Ldt, 1976.

Jefferson, L. E. *The Decorative Arts of Africa*, Collins, Londres, 1974.

Kwami, Atta. *Signs and Symbols of Ghanaian Painting 1993* (ejemplares disponibles en el Instituto de la Commonwealth, Londres).

Leakley, L. S. B. *The Southern Kikuyu before 1903*, vols. 1-3, Academic Press, 1977.

Mack, J. *Madagascar. Island of the Ancestors*, British Museum Publications Ltd, 1986.

Mack, J. *Emil Torday and the Art of the Congo 1900-1909*, British Museum Publications Ltd, 1992.

Mack, J. y Spring, C. *African Textiles*, Museo Nacional de Arte Moderno, Kyoto, Japón, 1991.

McLeod, M. D. *The Asante*, British Museum Publications Ltd, 1981.

Moore, E. *Ethiopian Processional Crosses*, Etiopía, 1969.

Picton, J. y Mack, J. *African Textiles*, British Museum Publications, 1989.

Quinn, F. "Abbia Stones". *African Arts*, vol. 4(4), 1971.

Ross, D. H. y Garrard, T. F. *Akan Transformations. Problems in Ghanaian Art History*, Universidad de California, 1983.

Rubin, W. (ed.), *'Primitivism' in 20th Century Art*, Museo de Arte Moderno, 1985.

Sieber, R. *African Furniture and Household Objects*, Indiana University Press, 1980.

Spring, C. "African Hilt Weapons" en *Swords and Hilt Weapons*, Weidenfeld and Nicholson Ltd, 1989.

Terry, M. E. y Cunningham, A. B. "The Impact of Commercial Marketing on the Basketry of Southern Africa". *Journal of Museum Ethnography*, 1993.

The Cristian Orient, Biblioteca Británica (catálogo), 1978.

Thompson, R. F. "The Sign of the Divine King. An essay on Yoruba bead-embroidered crowns with veil and bird decorations". *African Arts*, vol. 3 (3), primavera, 1970.

Trowell, M. *African Design*, Faber and Faber Ltd, 1960.

Vansina, J. *Art History in Africa*, Longman Group Ltd, 1984.

Waljee, A. y Mawji, A. *Design and Technology from an Islamic Perspective* (Teachers' Pack), Commonwealth Institute, 1992.

Wilson, E. *Diseños islámicos*, Editorial Gustavo Gili, S.A., Barcelona, 1998.

Zaslavsky, C. *Africa Counts*, Lawrence Hill & Company, EE.UU., 1979.

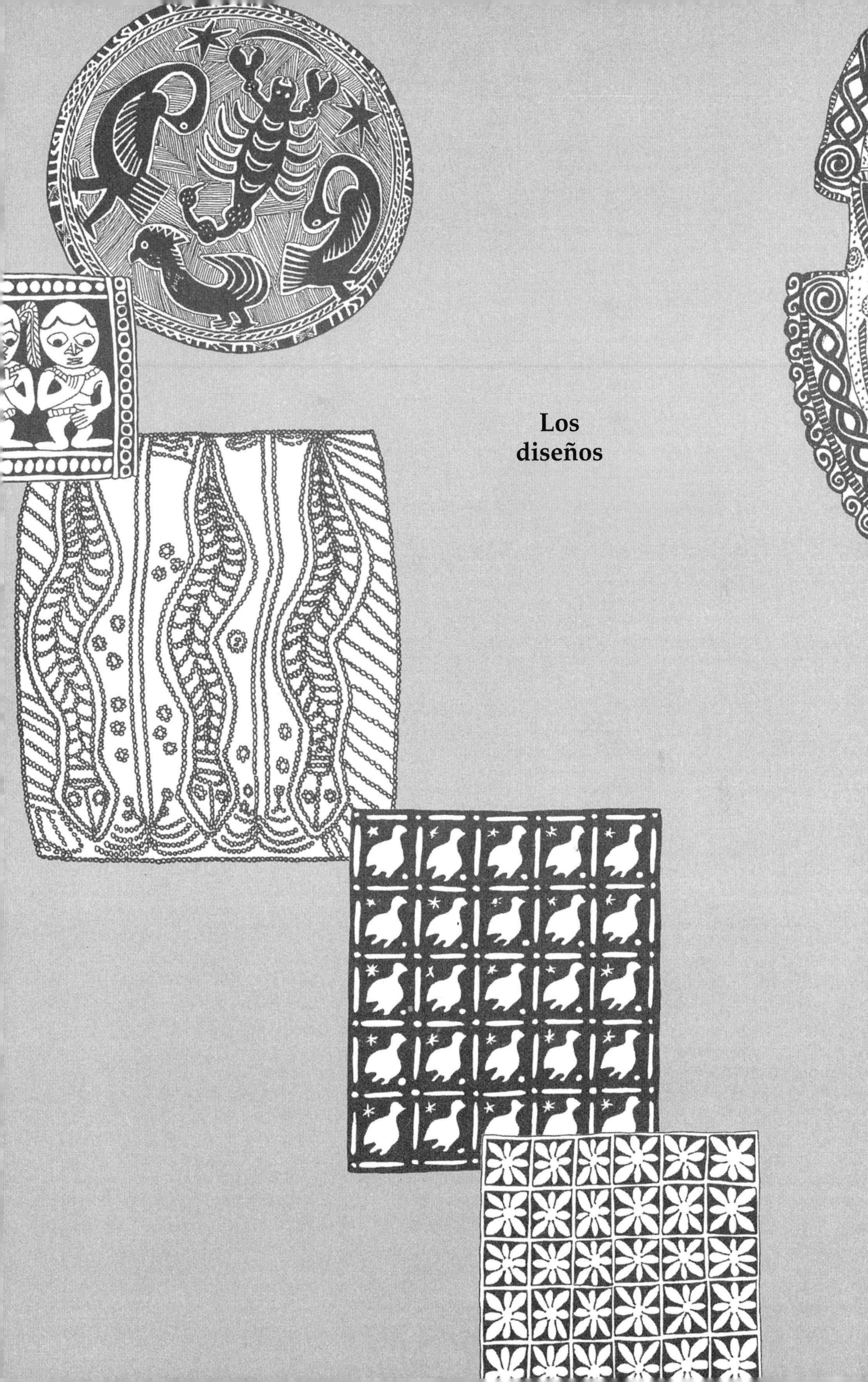

Los diseños

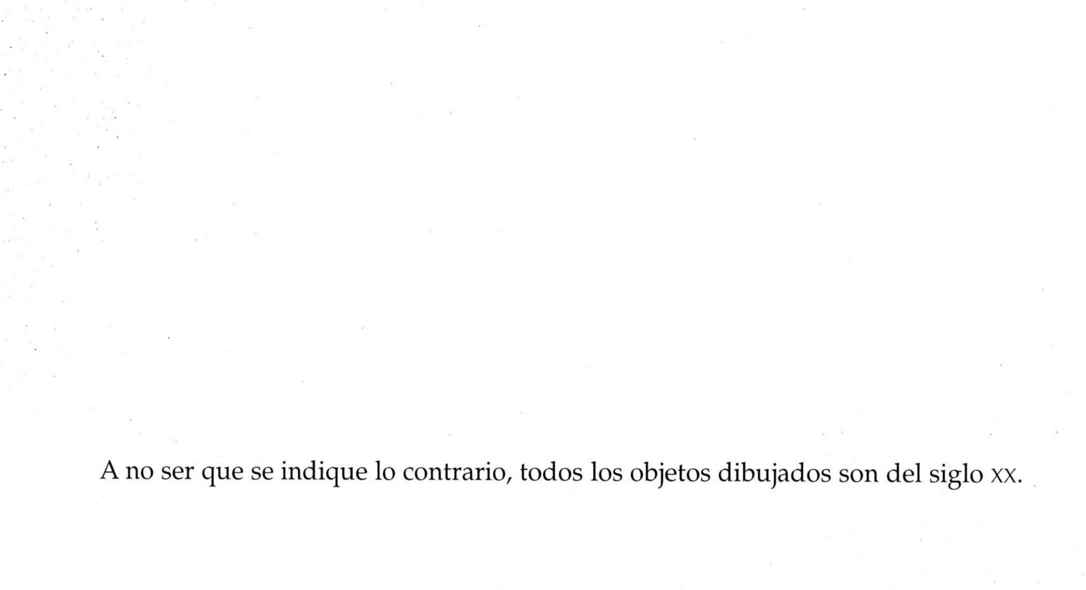

A no ser que se indique lo contrario, todos los objetos dibujados son del siglo XX.

1 Plato de alfarería finamente decorado del Rif, Marruecos. El fondo es de color crema y el motivo está pintado en rojo tierra oscuro.

2 Platos pintados de Argelia y Marruecos.

3 Decoraciones pintadas en vasijas de Argelia y Marruecos.

4 El motivo SUPERIOR está tomado de un recipiente para agua delicadamente pintado de Túnez. El motivo de DEBAJO es típico de la alfarería Cabilia de Argelia.

5 Joyas de plata bereberes de Argelia. Las de la HILERA INFERIOR son alfileres que sirven para sujetar la ropa. La *khamsa* islámica (significa "cinco") DEBAJO A LA DERECHA está representada por la "mano de Fátima", y se refiere a las cinco plegarias o a los cinco principios fundamentales del Islam; también protege del mal de ojo a quien la lleva.

6 Motivos decorativos tomados de piezas de alfarería contemporáneas procedentes de Safi, Marruecos. El diseño de ARRIBA corresponde a la decoración en azul y blanco del borde interior de un cuenco.

7 Piezas contemporáneas de alfarería decorada procedentes de Marruecos. El tarro de ARRIBA está pintado en marrón y negro y se dice que imita motivos bereberes. El recipiente con tapa de DEBAJO es azul y blanco.

8 Diseños azules y blancos pintados en piezas de alfarería de Marruecos.

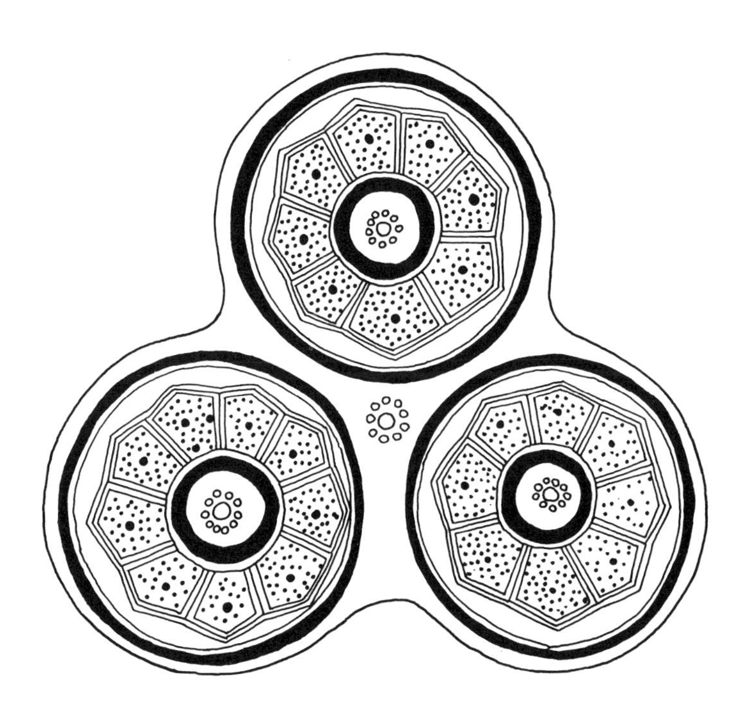

9 Platos de alfarería de Argelia. El de DEBAJO consta de tres cuencos unidos por un solo pie (vista aérea).

10 Joyas de plata y un amuleto (ARRIBA CENTRO) de Libia. Los motivos están cincelados y grabados. Las dos piezas más pequeñas son anillos y las de DEBAJO corresponden a las dos caras de un broche.

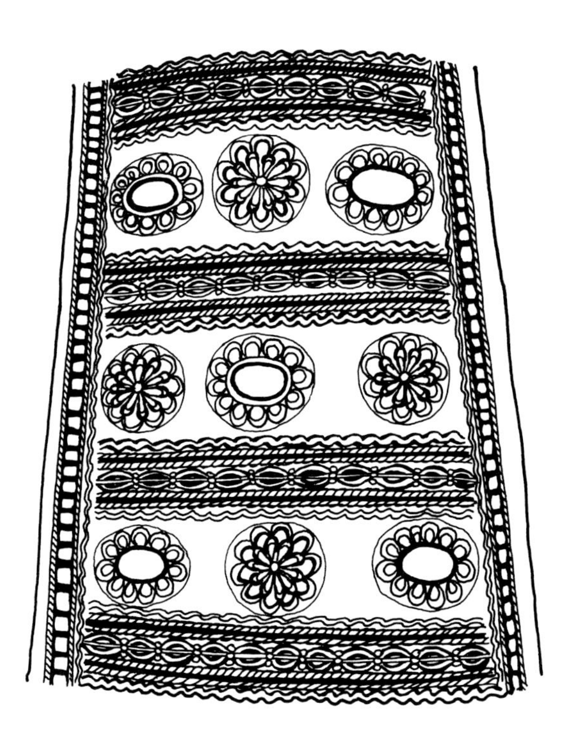

11 Diseños florales en una hebilla de latón (DEBAJO DERECHA) y en brazaletes de latón; procedentes de Etiopía.

12 Dos cruces procesionales etíopes; los sacerdotes de la Iglesia ortodoxa etíope las llevan durante las ceremonias. La cruz de ARRIBA es de latón, probablemente anterior al siglo XVII y la de DEBAJO, de bronce, es posterior, con toda probabilidad del siglo XVII; los diseños grabados presentan influencias occidentales.

13 Cruz etíope del siglo XV (ARRIBA) procedente de Goŷam; está decorada con remates circulares y pájaros grabados en los brazos inferiores. DEBAJO, cruz procesional en bronce del siglo XVI, Etiopía. Los motivos de entrelazado muestran influencia del arte copto primitivo. La inscripción reza: "ésta es la cruz de nuestro Padre, Takla Haymanot".

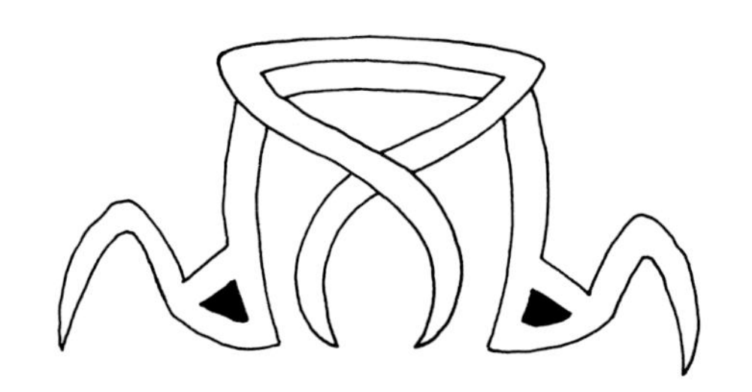

14 Cruz procesional en bronce de Tigre, Etiopía. Siglos XIII-XIV. Las cruces cuatrifolias de bronce como ésta son, con toda probabilidad, las más intrincadas y profusamente decoradas de todas las cruces etíopes. Los motivos a su alrededor están tomados de un manuscrito etíope, probablemente del siglo XVIII.

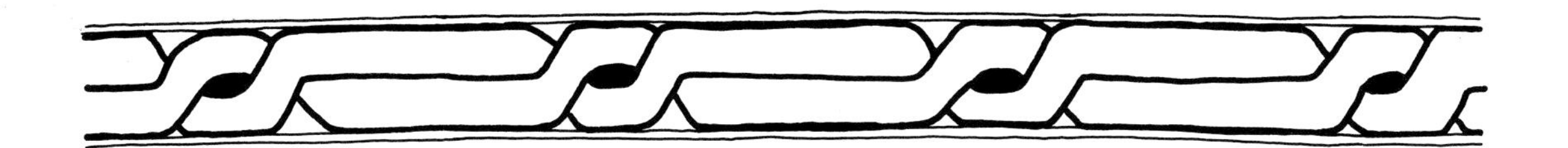

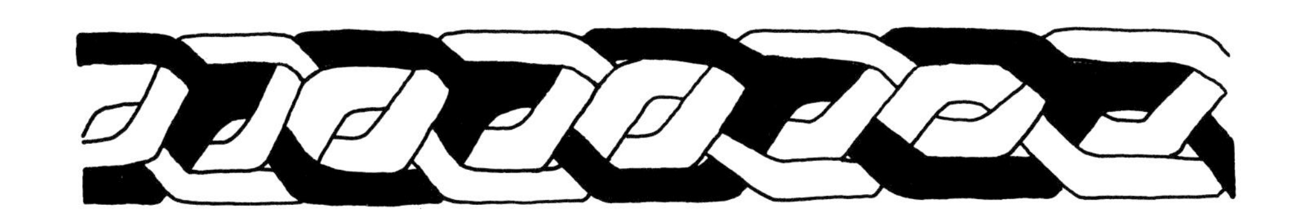

15 Cenefas decorativas de manuscritos etíopes, probablemente de los siglos XVII y XVIII.

16 Rascadores para la piel de alfarería egipcios, hechos en Asyut y sus alrededores a finales del siglo XIX y principios del XX probablemente como artículo turístico. ARRIBA DERECHA puede verse la superficie rayada que sirve para rascar la piel. DEBAJO IZQUIERDA corresponde a una vista de perfil; ARRIBA IZQUIERDA vista superior que revela el mango en forma de cocodrilo; el rascador de DEBAJO tiene forma de perro.

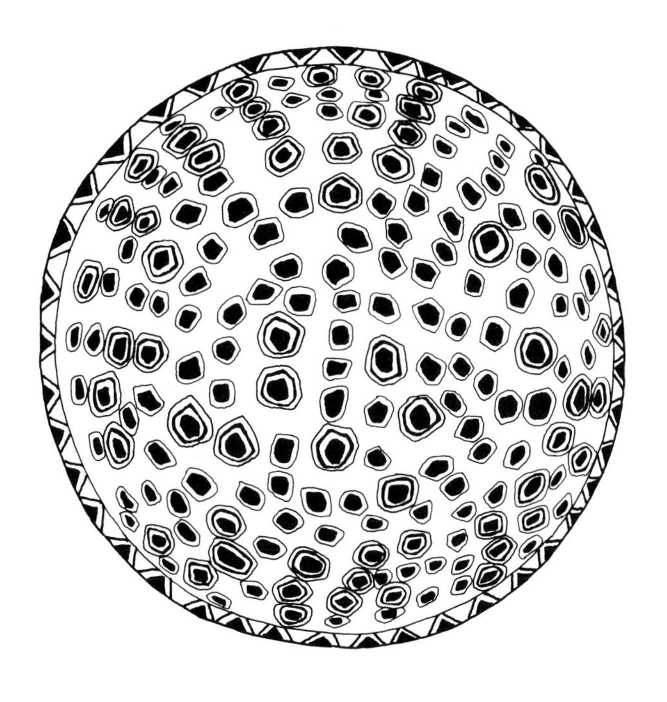

17 Estos cuencos están hechos de excremento de vaca y pintados en blanco, marrón y negro.
De la provincia de Kadero, colinas de Nuba, Sudán.

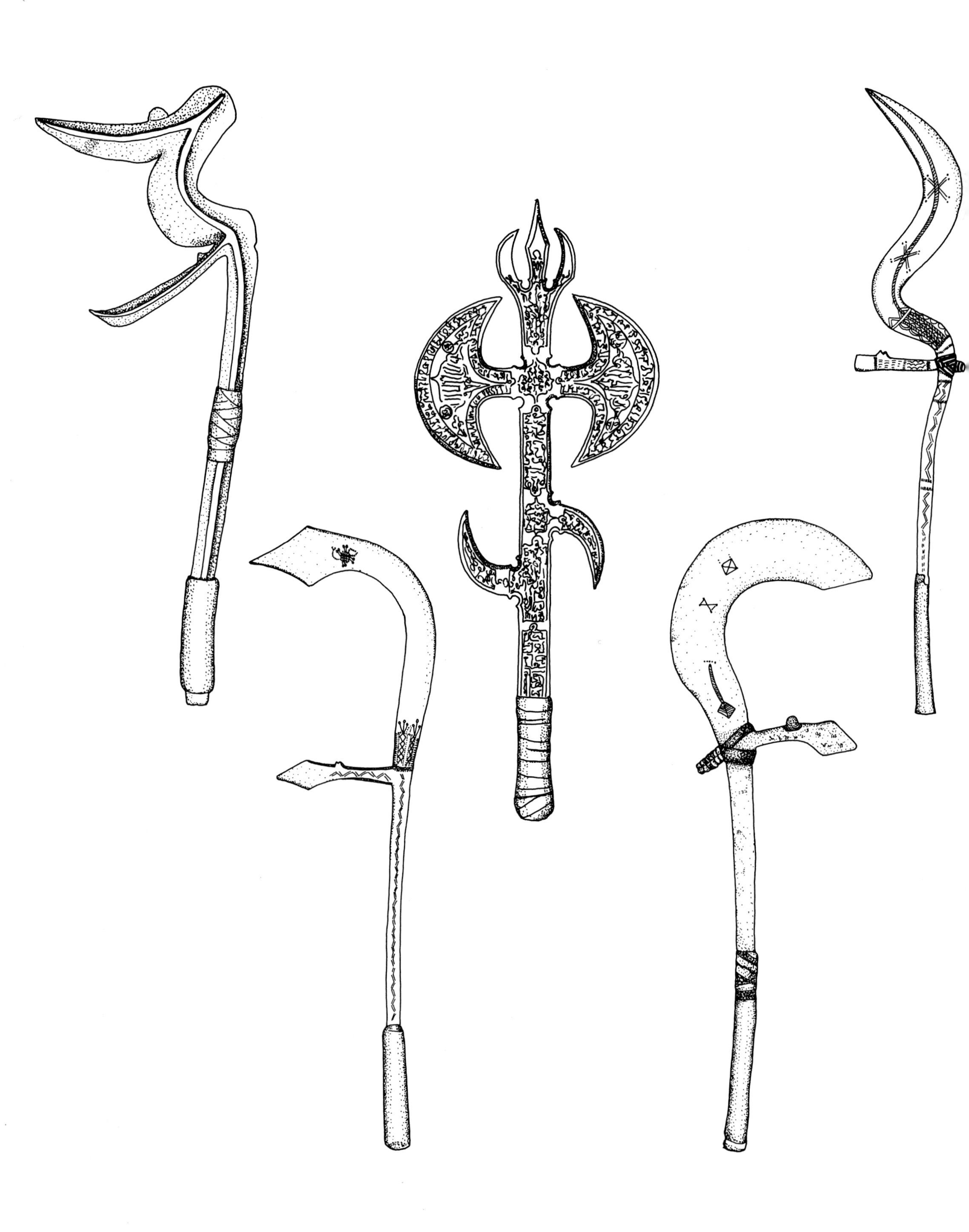

18 Cuchillos arrojadizos y hacha doble de Sudán. La pieza central está toda ella decorada con caligrafía islámica. La forma de estas armas es ya en sí misma un diseño espectacular. El cuchillo de ARRIBA tiene forma de serpiente estilizada; el de DEBAJO IZQUIERDA tiene un escorpión grabado cerca de la punta de la hoja. El hacha del CENTRO data probablemente de la revuelta Madhi del Sudán a finales del siglo XIX.

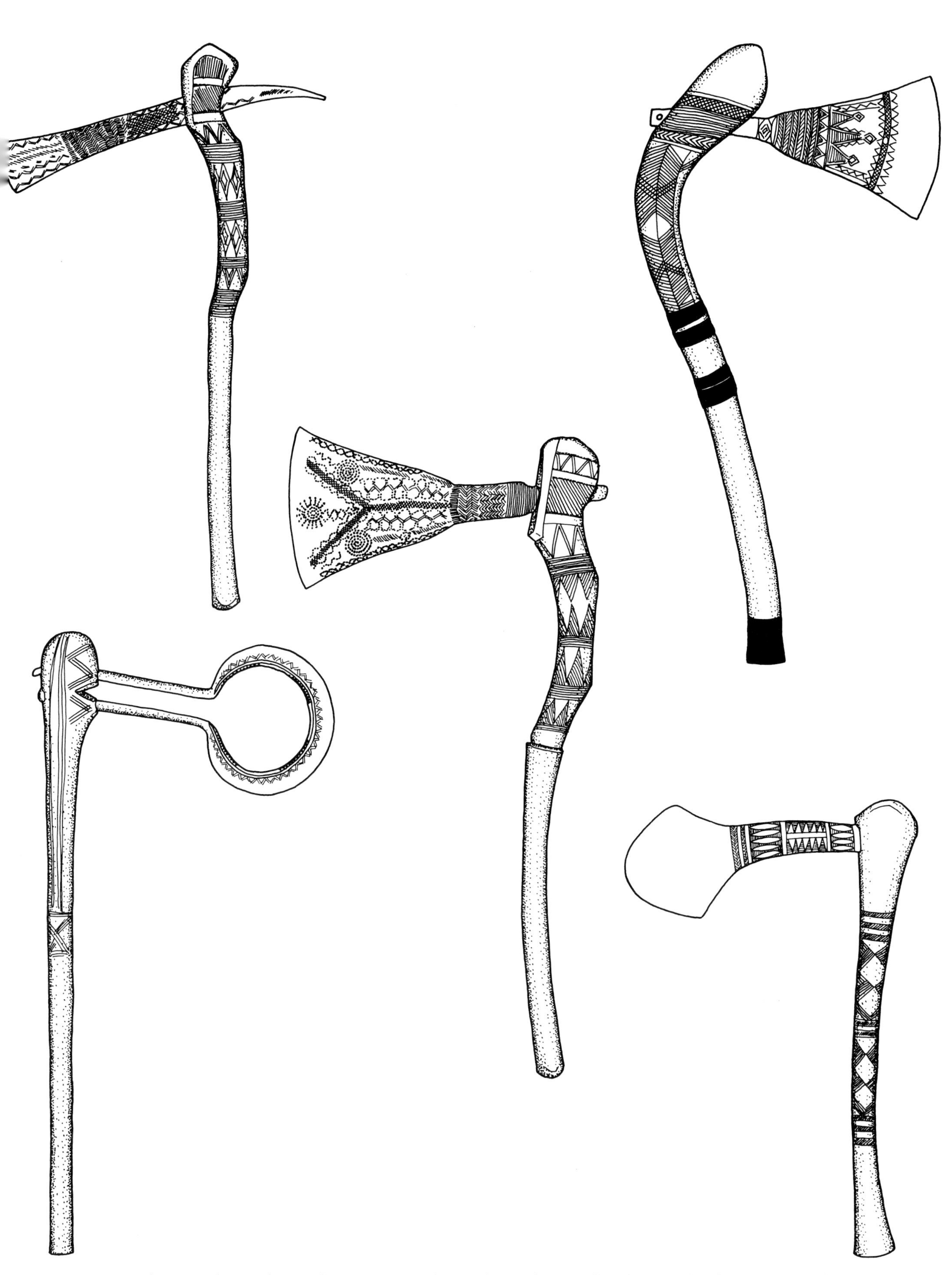

19 Hachas con hojas decoradas y empuñaduras de madera realizados por los hausa, norte de Nigeria. La decoración de algunas de ellas presentan claras influencias islámicas, como la de ARRIBA DERECHA.

20 Calabaza de Zingaru decorada con escenas de guerra y de la vida diaria de los hausa. Estos dibujos son inusuales en el arte africano, por lo que proporcionan información muy valiosa sobre la indumentaria, los peinados y los jaeces del norte de Nigeria.

21 Calabaza decorada de Zingaru, norte de Nigeria. Estos detallados dibujos lineales están hechos con una punta metálica caliente que va quemando finas líneas negras en la calabaza. Aquí vemos escenas de batalla, de lucha y un coche basado en un Austin británico de 1925.

22 Tres cuencos de calabaza procedentes de Hausa, norte de Nigeria. La decoración ha sido tallada y grabada en el exterior de la calabaza y en las piezas de ARRIBA Y DEBAJO DERECHA, el motivo se ha realizado mediante el pirograbado creando un efecto contrastado de blanco-negro.

23 Cojines de piel marrón decorados con motivos geométricos y formas animales (ARRIBA Y DEBAJO IZQUIERDA) Bida, Nupe, norte de Nigeria. DEBAJO DERECHA. Cojín bordado y con aplicaciones de piel; procedente con toda probabilidad de Hausa, norte de Nigeria

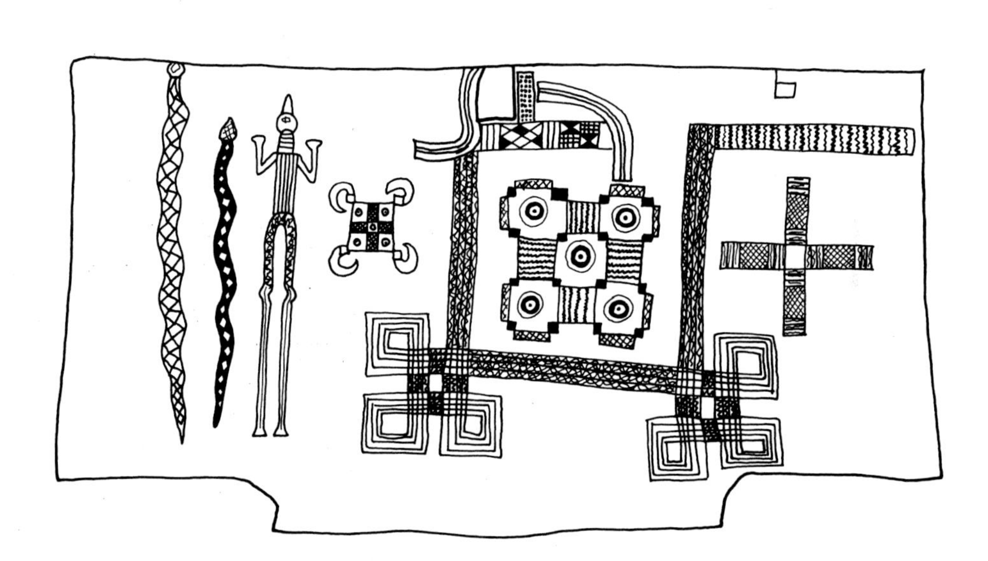

24 Cada una de estas espectaculares túnicas bordadas hausa del norte de Nigeria ha sido realizada por un artesano distinto. Los diseños de las dos túnicas de ARRIBA incorporan el motivo de los *aska takwas* u "ocho cuchillos"; el motivo circular a la IZQUIERDA del collar es el *tambari* o "tambor del rey". Se desconoce la procedencia exacta de la de DEBAJO, que incluye el motivo de la *khamsa* islámica (significa "cinco") en forma de "casa del cinco".

25 Ejemplos de bolsas de piel yoruba con bordados y aplicaciones de cuentas. ARRIBA IZQUIERDA. Corona de cuentas, DEBAJO IZQUIERDA bolsa de cuentas. DEBAJO. Decoraciones en bolsas de piel. La corona tradicional siempre tiene un flequillo de cuentas para esconder la cara del rey, un pájaro de cuentas que simboliza el esplendor de la comunicación con los dioses y una cara de frente también de cuentas que aumenta la visión de la vigilancia moral y la cólera del rey.

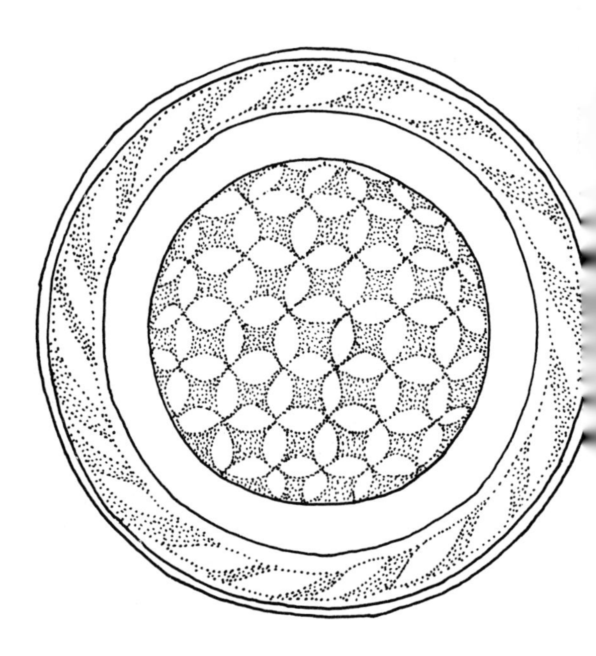

26 Bandejas de latón y base de una vasija de latón (DEBAJO DERECHA) hechas por los efik, sur de Nigeria. El punteado utilizado para el motivo le da al conjunto del diseño una cualidad textural añadida mediante el contraste de las superficies lisas y las rugosas.

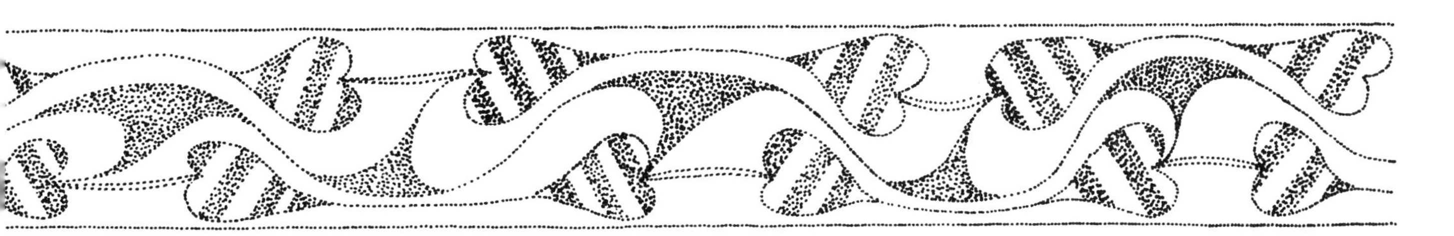

27 DEBAJO. Bonita bandeja de latón batido con un motivo floral punteado por el anverso, Efik, sur de Nigeria. El diseño de ARRIBA está tomado de la bandeja de la lámina **26** (ARRIBA IZQUIERDA).

28 Dos abanicos de madera procedentes de Ibibio, sur de Nigeria. Los fluidos diseños florales son característicos de las obras del este de Nigeria.

29 Abanicos de madera procedentes de Ibibio, sur de Nigeria. Las decoraciones están hechas mediante la técnica del pirograbado y ennegrecidas con una herramienta plana caliente.

30 Estos paneles de puerta de madera tallada realizados por los yoruba de Nigeria son un buen ejemplo de la escultura monumental africana. Los motivos labrados y la situación de las puertas indicaban el rango y el prestigio del habitante de la morada. El panel SUPERIOR muestra una tortuga y un pájaro; el INFERIOR presenta un cocodrilo comiéndose un siluro.

31 Dos escenas procedentes de paneles de puerta de madera tallada realizados por los yoruba, Nigeria. ARRIBA. Dos hombres que luchan. DEBAJO. Serpiente enroscada. El carácter narrativo de estas escenas sugiere que la cultura yoruba entró en contacto con la europea en algún momento posterior al siglo XV.

32 Dos escenas procedentes de paneles de puerta de madera tallada realizados por los yoruba, Nigeria. Las escenas narrativas están talladas en relieve y encuadradas por unas cenefas en celosía llamadas *eleyofo*.

33 Detalles de dos puertas de madera tallada. Yoruba, Nigeria. Las puertas a menudo representan hechos históricos o escenas de la vida diaria, además de crear un diseño global con distintas cenefas y marcos. Los ángulos tallados generan sombras y texturas que les añaden efectismo.

34 Diseños de textiles teñidos de índigo por reserva de almidón (a la tela se le aplica una pasta de almidón para que resista la penetración del tinte). Yoruba, Nigeria. Algunas están pintadas a mano, otras realizadas con la ayuda de plantillas. Los yoruba llaman a estas telas *adire* y todos los motivos reciben nombre. ARRIBA. Tela hecha para conmemorar el fin de la guerra civil de Nigeria. *Ogun Pari* significa "la guerra ha terminado".

35 Los fante de la región costera de Ghana realizaron estandartes y banderas con aplicaciones de vivos colores como distintivos de los diversos grupos militares, *asafo*. Las escenas que aparecen en las banderas contenían mensajes a menudo deliberadamente provocativos o desafiadores para los grupos rivales. La mayor parte de banderas están decoradas con cenefas de motivos geométricos repetitivos y un fleco de tela blanca.

36 Tapas de tres vasijas, *kuduo,* de latón hechas por los ashanti de Ghana. La pieza central de cada una sobresale y forma el mango de la tapa. Las vasijas tenían gran importancia para los ashanti, por lo que quizás los símbolos que las decoraban indicaban para qué servían.

37 Decoraciones de vasijas de latón. Las dos de ARRIBA están realizadas por los ashanti de Ghana. La de ARRIBA A LA IZQUIERDA tiene cocodrilos en el centro y las dos de DEBAJO muestran gallinas de Guinea y serpientes. Estos dos últimos diseños están punteados sobre el latón y rellenos de una sustancia blanca.

38 Dos discos de oro del portador del alma procedentes de Ashanti, Ghana. Los llevaban puestos los sirvientes reales *kra*. Se fundían como discos planos con decoraciones en los bordes hechas de hilos de cera y posteriormente se repujaba la superficie para decorarla (martilleando el metal). Siglos XIX-XX.

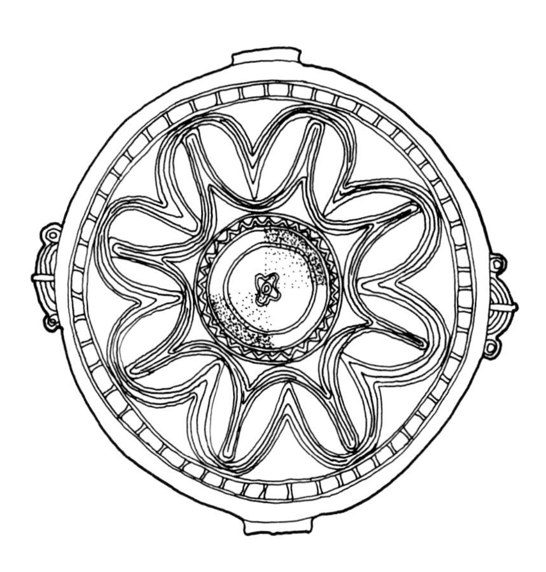

39 Insignia de oro del portador del alma ashanti, Ghana. Estos tres ejemplos presentan una técnica muy depurada. La insignia circular con un motivo dentro representa la presencia y el poder de Dios. Siglo XIX.

40 Las cajas de madera tallada ghanesas de esta lámina y las siguientes son ejemplos tempranos de "arte turístico". Las cajas muestran algunos motivos tradicionales y están elaboradamente decoradas con motivos tanto geométricos como animales. El dibujo de DEBAJO corresponde a uno de los lados de la caja cuya tapa se muestra en la lámina **41**.

41 Cajas de madera tallada de Ghana. Los dibujos muestran la tapa de dos cajas, una con un cocodrilo comiéndose un pez y otra con tres tortugas.

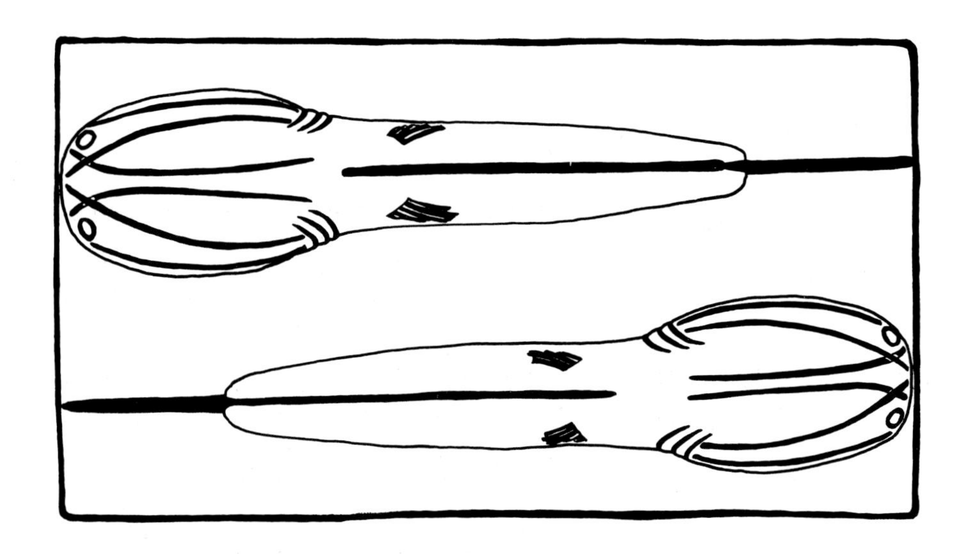

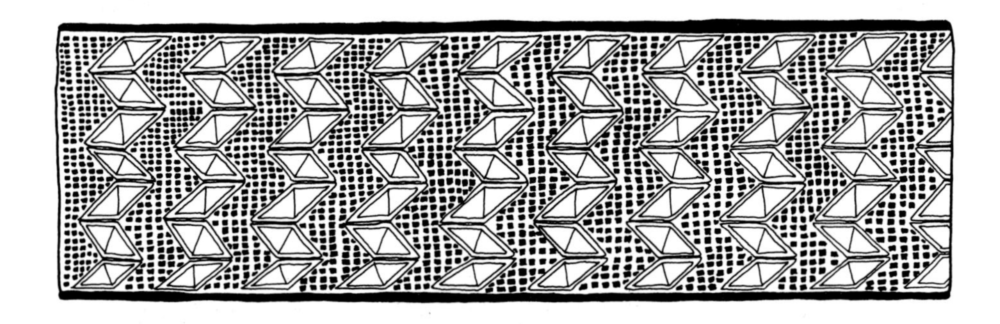

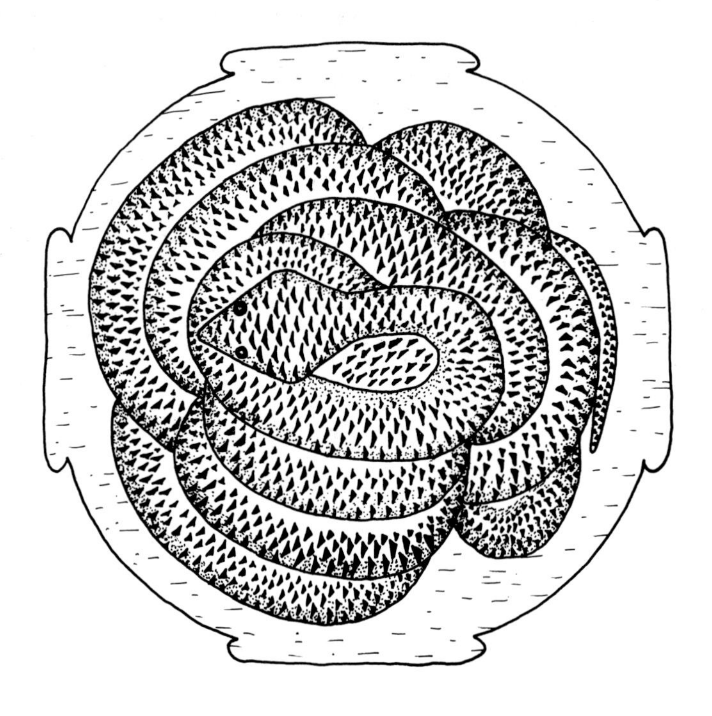

42 Dos cajas de madera tallada de Ghana. ARRIBA. Dos siluros en la tapa. CENTRO. Uno de los lados de una caja. DEBAJO. Serpiente enroscada en una tapa.

43 Dos cajas de madera tallada. La caja de ARRIBA presenta unas serpientes entrelazadas en uno de sus lados. La de DEBAJO presenta diseños geométricos.

44 Cuencos de calabaza ashanti de Ghana con motivos florales y animales delicadamente grabados. Esta técnica decorativa consiste en cubrir grandes áreas del fondo con un rayado de gran efecto textural.

45 Taburetes de madera tallada pertenecientes a los jefes ashanti de Ghana. Muchos de los taburetes fueron diseñados únicamente para el Asantehene (jefe) y no se podían copiar sin su permiso. El elefante y el leopardo (los dos taburetes de ARRIBA) pertenecían a este tipo de diseños.

46 Peines de madera tallada procedentes de Ashanti, Ghana.

47 Peines de madera procedentes de Ashanti, Ghana, con motivos tallados y grabados. Las piezas centrales de los peines muestran taburetes del jefe (*véase* lámina **45**).

48 Peines de madera tallada procedentes de Ashanti, Ghana. Estos dibujos corresponden a la decoración de los mangos; los taburetes de los jefes ashanti se pueden ver claramente en el centro de cada uno (*véase* lámina **45**).

49 Sellos *adinkra* de Ghana hechos de calabaza y utilizados para estampar telas. Los diversos motivos de los sellos reciben distintos nombres, cada uno con un significado mágico, histórico o proverbial. ARRIBA IZQUIERDA. Se llama *mpuannum* y significa "cinco mechones de pelo", un peinado tradicional; HILERA SUPERIOR, el tercero se llama *msusyidie*, un símbolo de santidad y buena suerte. El diseño de conjunto de las telas *adinkra* se compone de cuadrados dentro de los cuales se repiten motivos individuales.

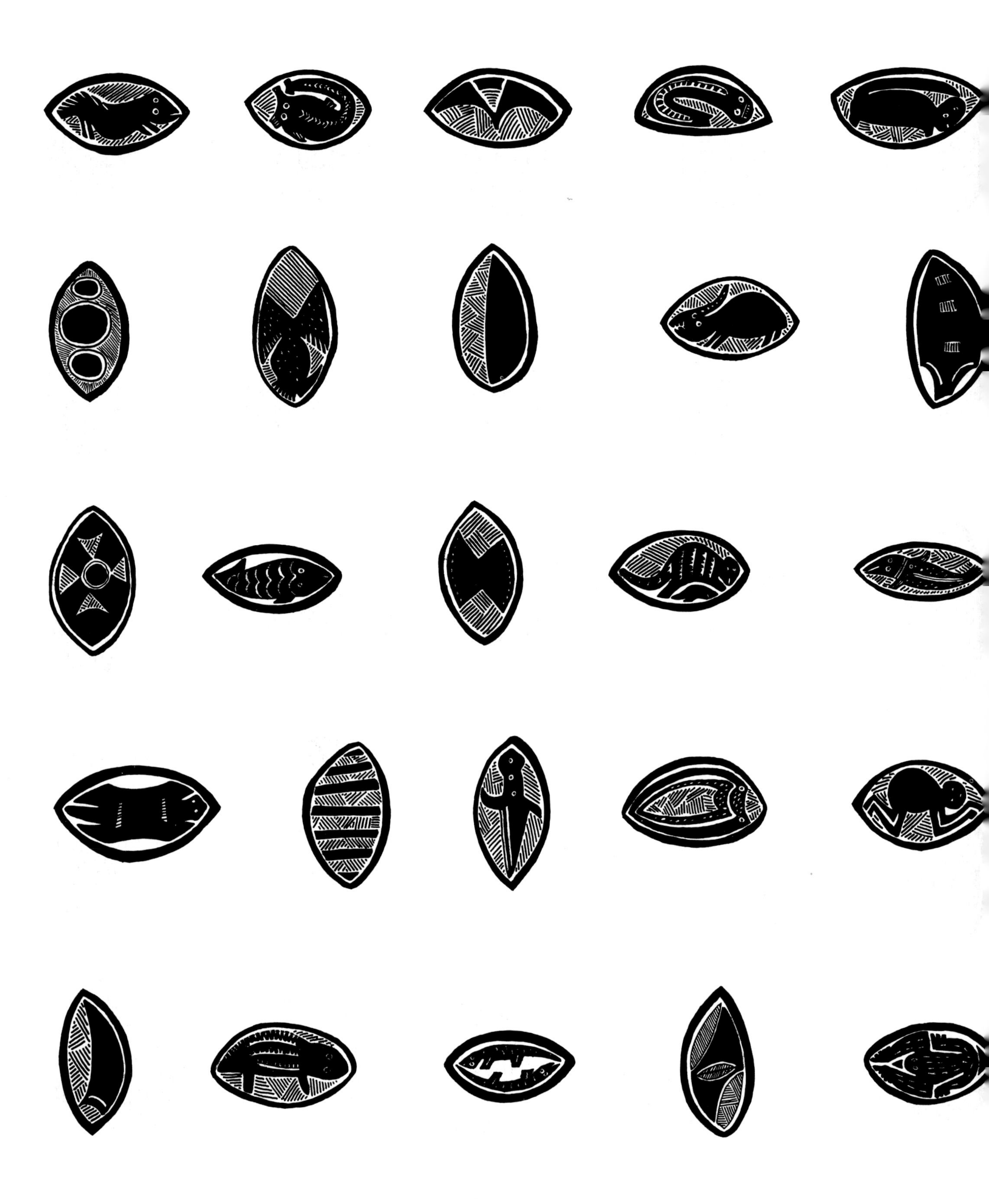

50 Las piedras *mvia* hechas por los beti del Camerún son una forma artística muy decorativa. Están talladas en las pepitas duras del fruto venenoso de un árbol, y sirven para jugar al juego Abbia. Los motivos decorativos son, en principio, meros ornamentos, ya que los dibujos no cumplen ninguna función dentro del juego; sin embargo estas fichas se buscan, precisamente, por las cualidades artísticas de la talla en relieve.

51 Piedras *mvia*, lo mismo que en la lámina anterior. Entre las imágenes talladas en las piedras encontramos peces, murciélagos, antílopes, escudos y monos.

52 ARRIBA. Dos sombreros de algodón bordado de Sierra Leona. DEBAJO. Tres gorras con diseños tejidos de Senegal o de Gambia.

53 Cuero de Mauritania bellamente decorado con diseños grabados y teñidos en rojo y negro. ARRIBA. Cojín, y DEBAJO bolsa de piel, probablemente para almacenar agua.

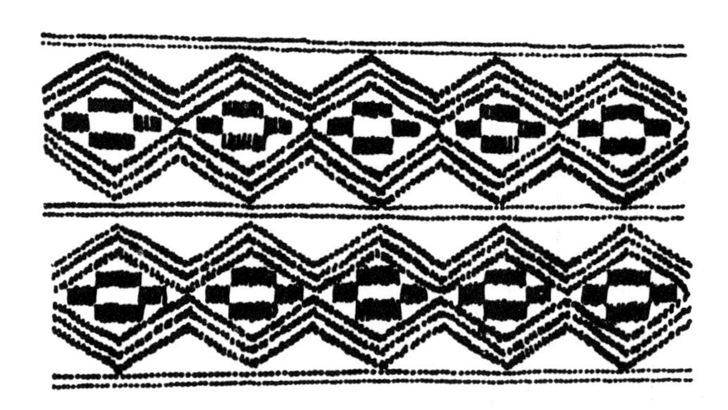

54 Ejemplos de motivos tejidos por los tejedores manjaka y papel de Guinea Bissau. El diseño de ARRIBA es una imagen de Amicar Cabral, que dirigió a la nación durante la guerra contra los portugueses. Los diseños de DEBAJO presentan claras influencias de los tejidos moriscos (marroquíes) y portugueses de época renacentista.

55 Los bámbara de Mali son muy conocidos por sus telas estampadas "por corrosión con barro". La gran cantidad de motivos utilizados poseen nombres y significados diferentes. Se dice que el diseño predominante del motivo de ARRIBA representa las piernas y el cuerpo del cocodrilo, y que el motivo en doble zigzag representa las patas del grillo.

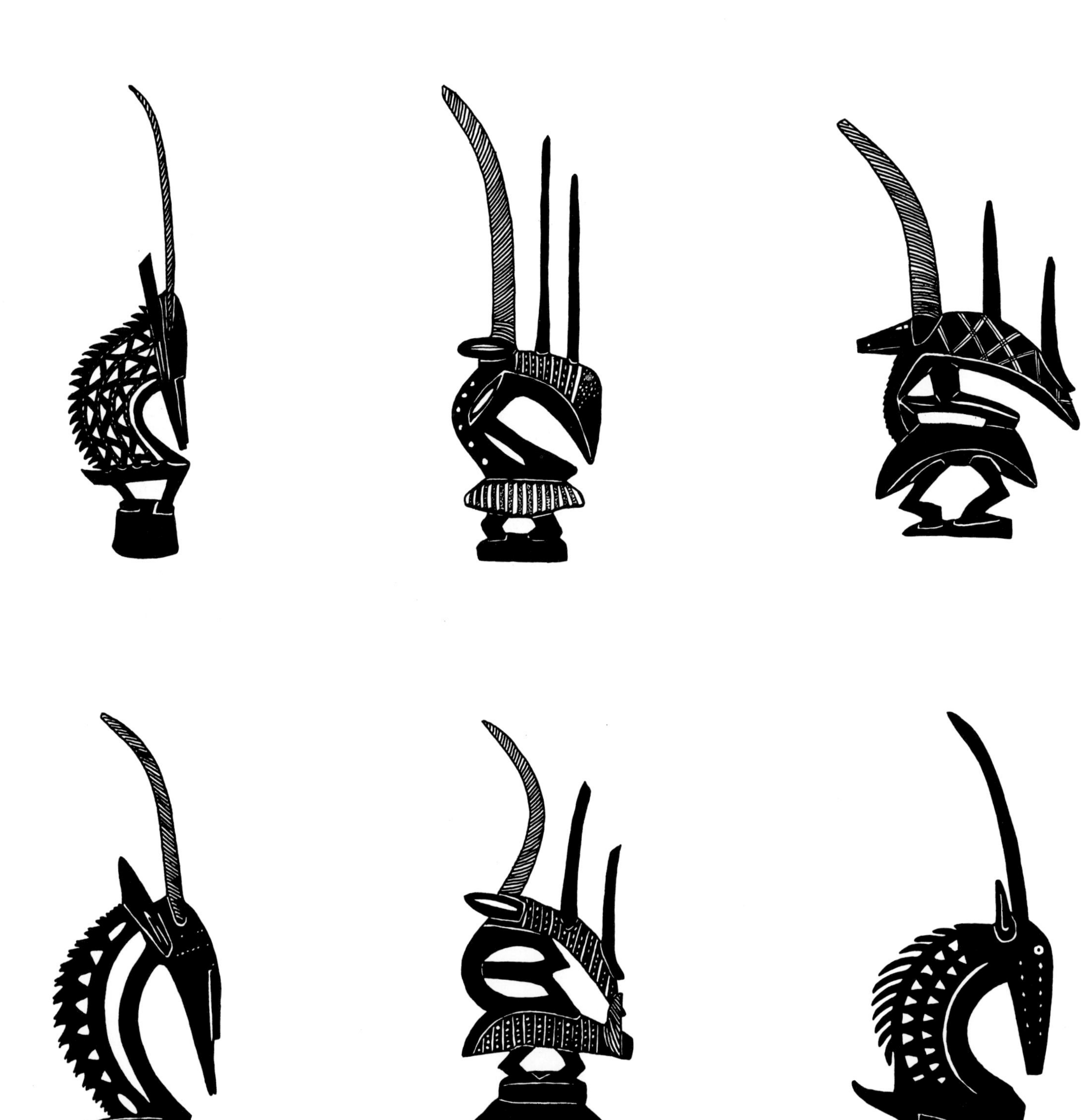

56 Estos tocados de madera labrada en forma de antílopes (*tji wara*) son obra de los bámbara (Mali). Representan el antílope mítico que enseñó la agricultura a los hombres y se llevan durante las danzas de fertilidad para propiciar el crecimiento de las cosechas. ARRIBA IZQUIERDA y DEBAJO IZQUIERDA Y DERECHA. Antílope macho, con la crin estilizada en calado. El resto son diseños más abstractos del distrito de Bougouni.

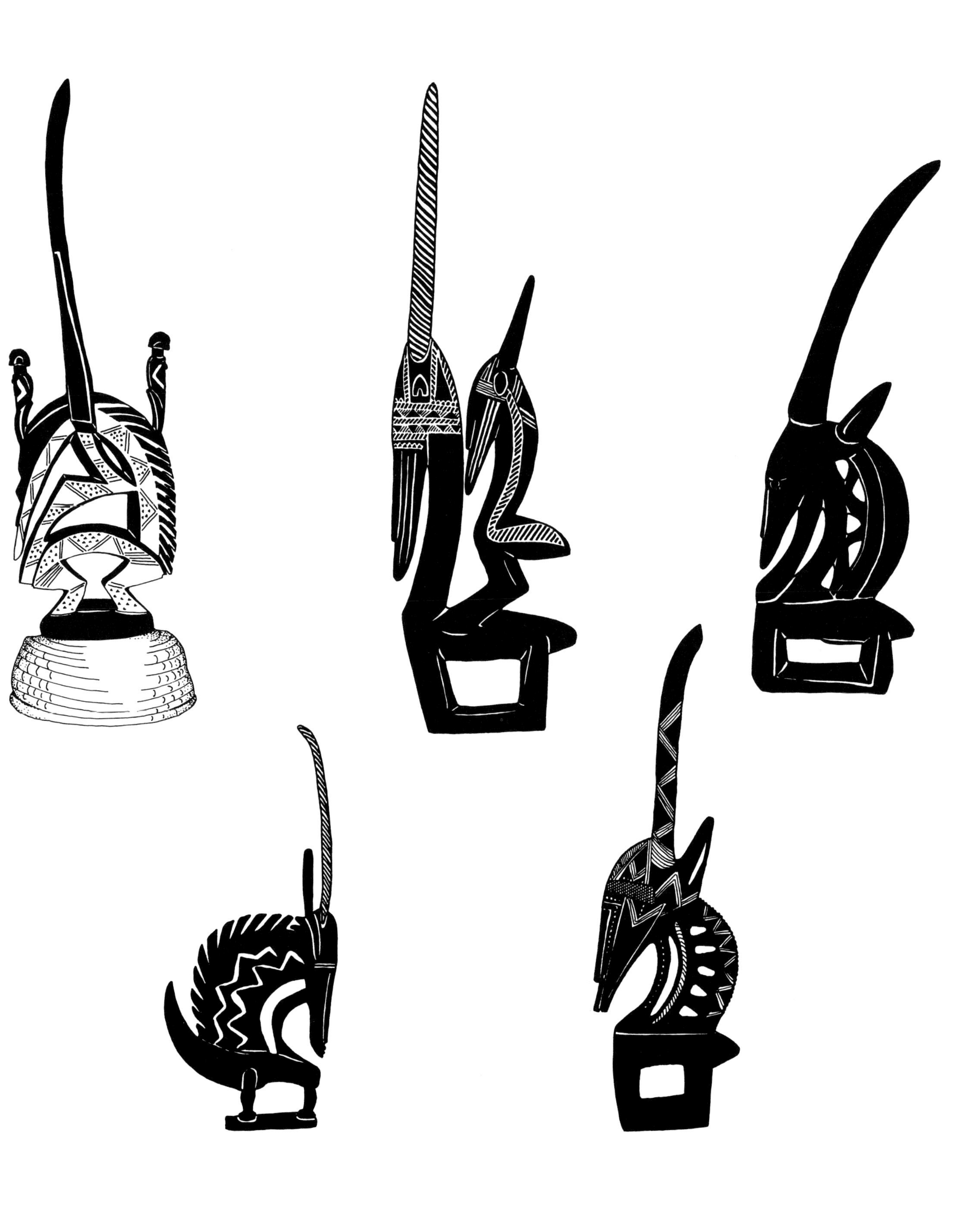

57 Tocados bámbaras en forma de antílope (*tji wara*), Mali. El antílope hembra se representa sin crin y con una cría en la espalda (CENTRO). El tocado de ARRIBA IZQUIERDA incorpora dos pequeñas figuras humanas y proviene del distrito de Bougouni.

58 Tres tocados en forma de antílope (*tji wara*) dibujados para que se aprecie la minuciosidad con que ha sido diseñado el pelo del antílope. Bámbara, Mali.

59 Motivos de una tapa de madera tallada de Benín, siglo XVI.

60 Decoraciones repujadas en metal de Benín, siglo XVI. La técnica del repujado consiste en martillear la plancha metálica por el envés de modo que el motivo resulte en el derecho de la plancha. La pieza del CENTRO está tomada de un brazalete y muestra a dos soldados portugueses.

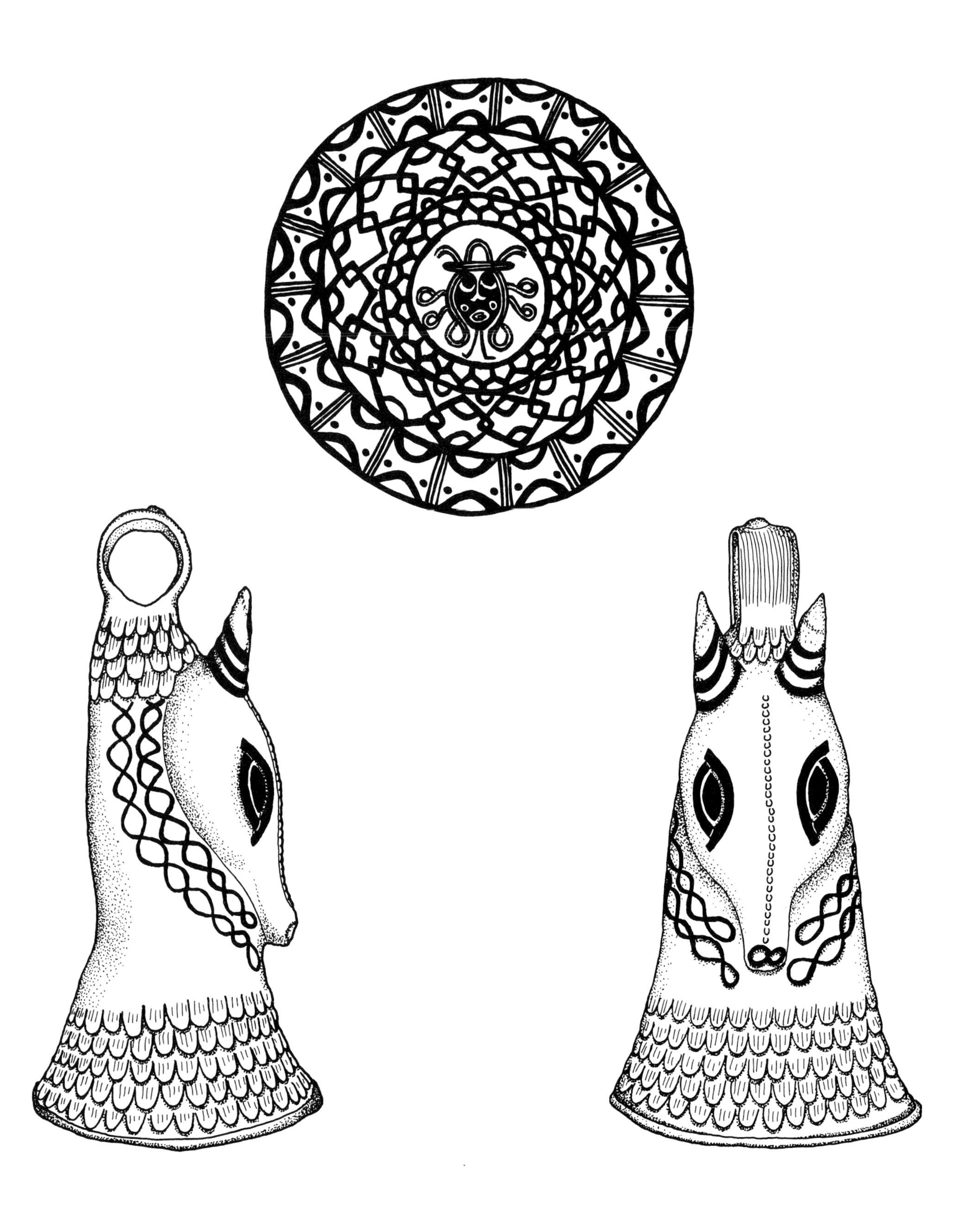

61 Piezas de metal decoradas de Benín (ARRIBA) y de la región del río Forcados, sur de Nigeria (DEBAJO). El dibujo de ARRIBA corresponde al extremo plano del apoyabrazos del rey, en cuyo centro se muestra una cabeza muy estilizada que simboliza a los portugueses (*véase* lámina **67**). Siglo XVI. DEBAJO. Dos vistas de una campana de latón en forma de cabeza de antílope. Se desconoce la fecha exacta de ejecución, pero probablemente es anterior al siglo XVII.

62 Máscara de cadera en bronce en forma de cabeza de leopardo. Estas máscaras se llevaban en la cadera izquierda. DEBAJO Leopardo hecho de plancha de latón batido. Benín, siglo XVI. El leopardo era extremadamente importante para los edo por ser rey de los arbustos, mientras que el rey (Oba) era rey del hogar. Sólo el Oba tenía derecho a sacrificar un leopardo.

63 ARRIBA Y DEBAJO. Bellos ejemplos de decoraciones florales talladas en cajas de madera de nuez de kola, Benín, siglo XVI. La pieza del CENTRO representa a cortesanos sobre una placa de madera. En la caja de DEBAJO aparecen cuatro pájaros estilizados con largas patas y picos.

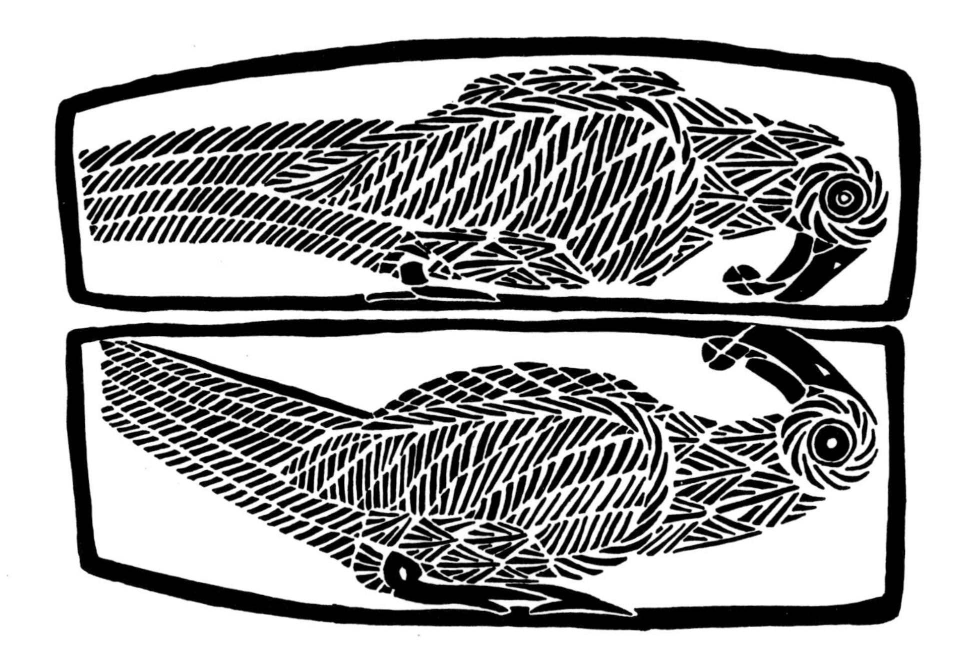

64 Diseños tomados de cajas de madera labrada y de un cuenco, Benín, siglo XVI. ARRIBA. Dos loros, ambos con una baya en el pico. CENTRO. Motivos de hojas de la tapa de un cuenco. DEBAJO. Motivos de entrelazado que decoran el lado de una caja, signo de prestigio social en Benín.

65 Diseños en cajas de madera tallada (ARRIBA y los dos del CENTRO) y un pájaro de un cuenco de madera (DEBAJO). Benín, siglo XVI. El pájaro del diseño de ARRIBA parece estar comiéndose una serpiente, pero lo más probable es que la serpiente esté saliendo de su boca; en la cultura edo esta imagen es el símbolo de los poderosos espiritualmente, que proyectan su fuerza al mundo.

66 Placas de bronce de Benín donde aparece un cocodrilo comiéndose un pez (ARRIBA) y un pez (DEBAJO), siglo XVI. El fondo de las placas parece ser el único lugar donde aparecen formas florales. El cocodrilo es temido por su ferocidad y tenacidad y representa la extensión del poder del Oba (rey de Benín). Tanto el Oba como el cocodrilo tienen el poder de quitar la vida.

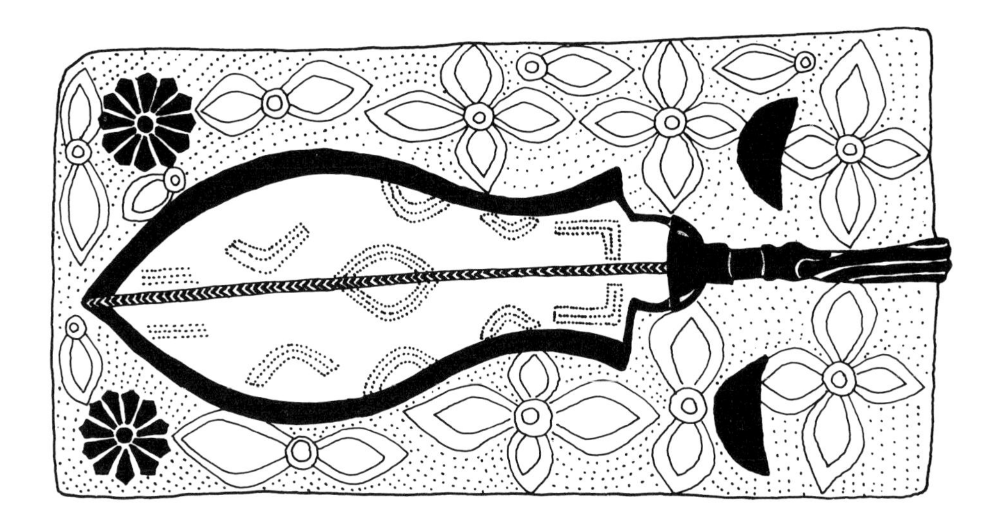

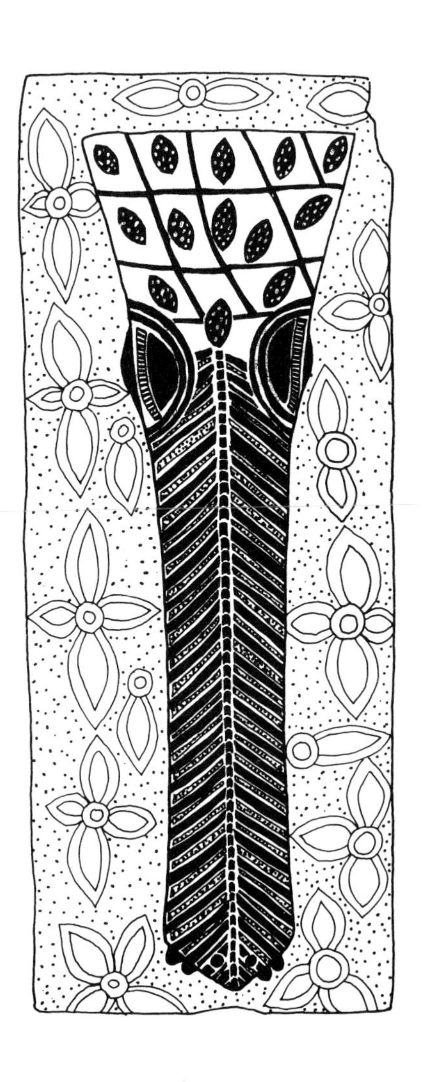

67 Placas de bronce de Benín donde aparecen los diseños florales que decoran el fondo de cada una, siglo XVI. ARRIBA. Espada ceremonial o *eben*, llevada por oficiales de la corte. DEBAJO IZQUIERDA. Cabeza de cocodrilo. DEBAJO DERECHA. Representación muy naturalista de un portugués, con casco, pelo largo suelto y barba y bigote bien cuidados.

68 Asiento de un taburete de bronce de Benín en forma de dos siluros entrelazados (ARRIBA) y siluro de una placa de bronce de Benín. Siglo XVI. El siluro se asocia con Olukun, dios de las aguas. Representa la prosperidad, la fecundidad y la paz, al contrario del leopardo, que representa la agresión y la conquista (*véase* lámina **62**).

69 Siluro de unas placas de bronce de Benín, siglo XVI. Las escamas y las aletas del pez aparecen dibujadas con gran precisión, creando un motivo decorativo intrincado. El pez es el motivo que aparece con mayor frecuencia en las placas.

70 Diseños tomados de objetos de marfil tallado de Benín, siglo XVI. La pieza del CENTRO es *owo*, realizada por los yoruba seguramente antes del siglo XVIII. El diseño de DEBAJO DERECHA es un elefante con la trompa acabada en dos manos que sostienen hojas, lo cual representa la fuerza y el poder del propietario.

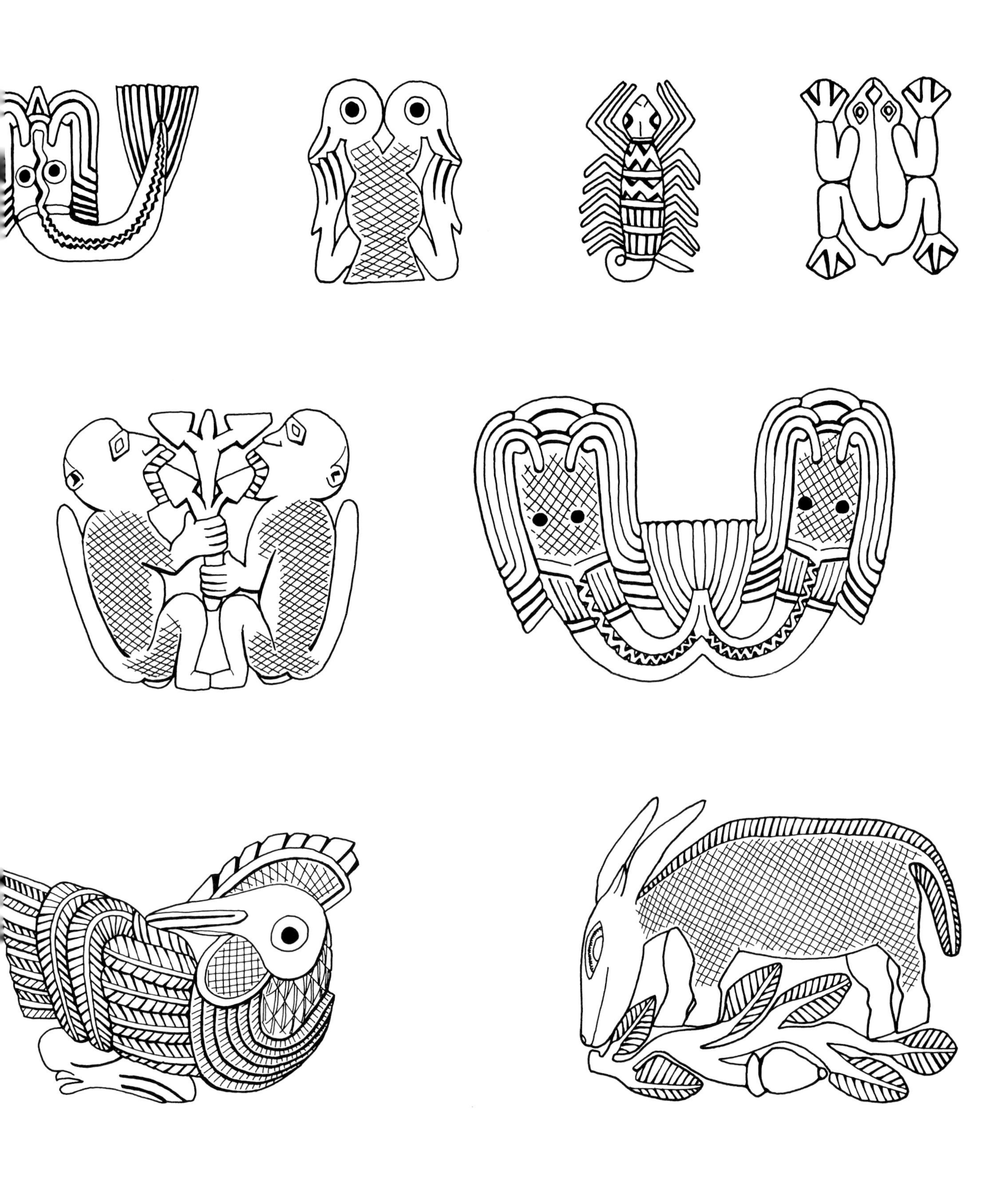

71 Los marfiles de Benín están tallados de manera intrincada con diseños de animales. Estos ejemplos están tomados de vasijas y copas para beber del siglo XVI. En el pasado el Oba (rey) controlaba todo el marfil, que representaba la fortaleza, la longevidad y la durabilidad y cuyo color blanco era símbolo de pureza, prosperidad y paz.

72 Diseños en marfiles de Benín, siglo XVI y caja de marfil tallado yoruba (ARRIBA) anterior al siglo XVIII. La pieza central está tallada en el colmillo de un elefante y habría estado colocada en un altar real.

73 Los dos dibujos de ARRIBA provienen de un cuerno de caza (olifante) de marfil de Sierra Leona, tallado por los sapi. Siglo XVI. DEBAJO. Figura tallada en un salero de Benín del siglo XVI que representa a un hombre portugués de los años 1525-1600 ricamente vestido y con una larga barba recta.

74 Colmillos de marfil tallado con escenas de la vida diaria y gente vestida a la europea. Kongo, Zaire, siglos XIX-XX.

75 Figuras y escenas tomadas de colmillos de elefante tallados. Zaire, siglos XIX-XX.

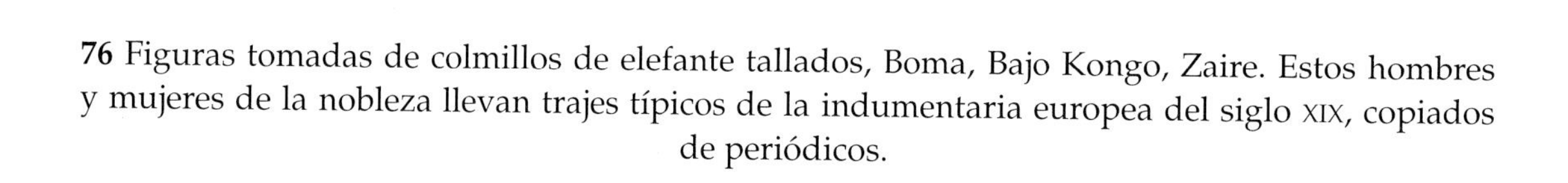

76 Figuras tomadas de colmillos de elefante tallados, Boma, Bajo Kongo, Zaire. Estos hombres y mujeres de la nobleza llevan trajes típicos de la indumentaria europea del siglo XIX, copiados de periódicos.

77 Figuras de marfiles tallados del siglo XIX procedentes de Boma, Bajo Kongo, Zaire. Ésta fue una de las regiones más expuestas a la influencia europea y a la actividad misionera durante el siglo XVI, y muchos de los marfiles tallados a partir de esa época incorporan figuras europeas y símbolos cristianos.

78 Tres calabazas decoradas y tres motivos incisos en una vasija de alfarería bruñida. Proceden del Bajo Kongo, Zaire. Los motivos de la calabaza se han realizado tallando y raspando la fina capa de la piel exterior, por lo que el blanco contrasta con el amarillo natural de la calabaza.

79 Espadas, dagas y cuchillos arrojadizos del norte de Zaire y de la República Centroafricana. Todos tienen las hojas de metal decoradas y las empuñaduras son de madera, piel o tiras de cobre. Las formas insólitas de algunos de ellos y la extraordinaria simplicidad de otros confirma de nuevo la relación existente entre forma y decoración: la empuñadura, la hoja y la decoración se diseñan como una unidad.

80 Los kuba del sur del Zaire son famosos por sus tejidos de "terciopelo" y sus bordados. Su habilidad consiste en realizar un diseño de conjunto que parece uniforme y repetitivo, pero tras una mirada atenta se desvelan variaciones sutiles.

81 Cajas de madera tallada hechas por los ngongo y ngeende, pueblos kuba del sur del Zaire. Estas cajas las tallaban los hombres y las utilizaban las mujeres casadas para guardar joyas y cosméticos.

82 Los kuba del sur del Zaire exhiben el amor que sienten hacia los motivos decorativos en todos los aspectos de su cultura material, desde la talla en madera, a los tejidos y los tatuajes. Cada motivo recibe un nombre distinto. Aquí vemos tres copas para beber talladas en madera. La de ARRIBA tiene forma de dos cabezas humanas y se utiliza para beber con un invitado.

83 Esteras tejidas en dos colores, probablemente de la zona de las Cataratas, Bajo Kongo. En el reverso de las esteras aparecen los diseños con los colores en negativo, negro sobre blanco. El diseño de ARRIBA es un leopardo, el de DEBAJO muestra a dos personas.

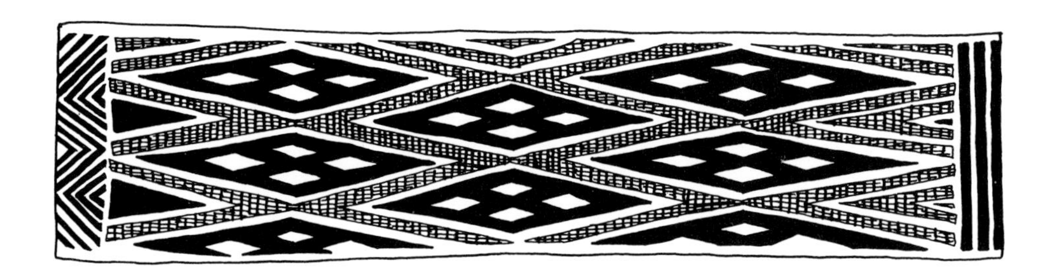

84 Motivos de cenefa de rafia tejida que decoran los bordes de las faldas de las mujeres mbuun, sur del Zaire.

85 Los cestos de Ruanda presentan diseños geométricos muy llamativos. El tejido es extremadamente delicado y fino. Algunos de los motivos tienen nombres. Los cestos pequeños, redondos y llanos (ARRIBA) están tejidos de modo que el motivo sólo aparezca en un lado.

86 Cesto en espiral (ARRIBA) de Kenya y dos taburetes de madera (DEBAJO) decorados con cuentas. Realizados por los luo, Kenya.

87 Calabaza decorada de Kenya. La decoración se realiza quemando la superficie con un cuchillo u otra herramienta, de manera que el motivo se vuelve marrón oscuro o negro.

88 Escudos de danza o *ndome,* hechos por los kikuyu de Kenya. Los escudos de los chicos que se encuentran en el mismo grupo de iniciación y en la misma unidad territorial presentan los mismos motivos. Una vez iniciados, emplearán estos motivos para sus escudos de guerra.

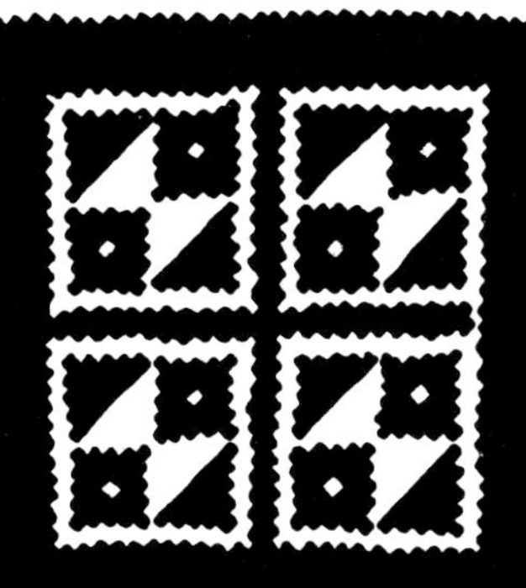

89 Diseños de cestas tejidas y esteras hechas en Madagascar. Están realizadas con colores vivos, como el rosa, el verde, el púrpura, el azul y el amarillo, y tejidas con rafia teñida.

90 Piezas de madera tallada de Madagascar: dos taburetes redondos, una caja decorada (DEBAJO DERECHA) y un panel de ventana tallado (ARRIBA IZQUIERDA).

91 Piezas de cestería de Zimbabwe: dos cestos de poca profundidad redondos (CENTRO) y cuatro salvamanteles. Los tejedores de Zimbabwe siguen utilizando principalmente fibras teñidas con tintes naturales.

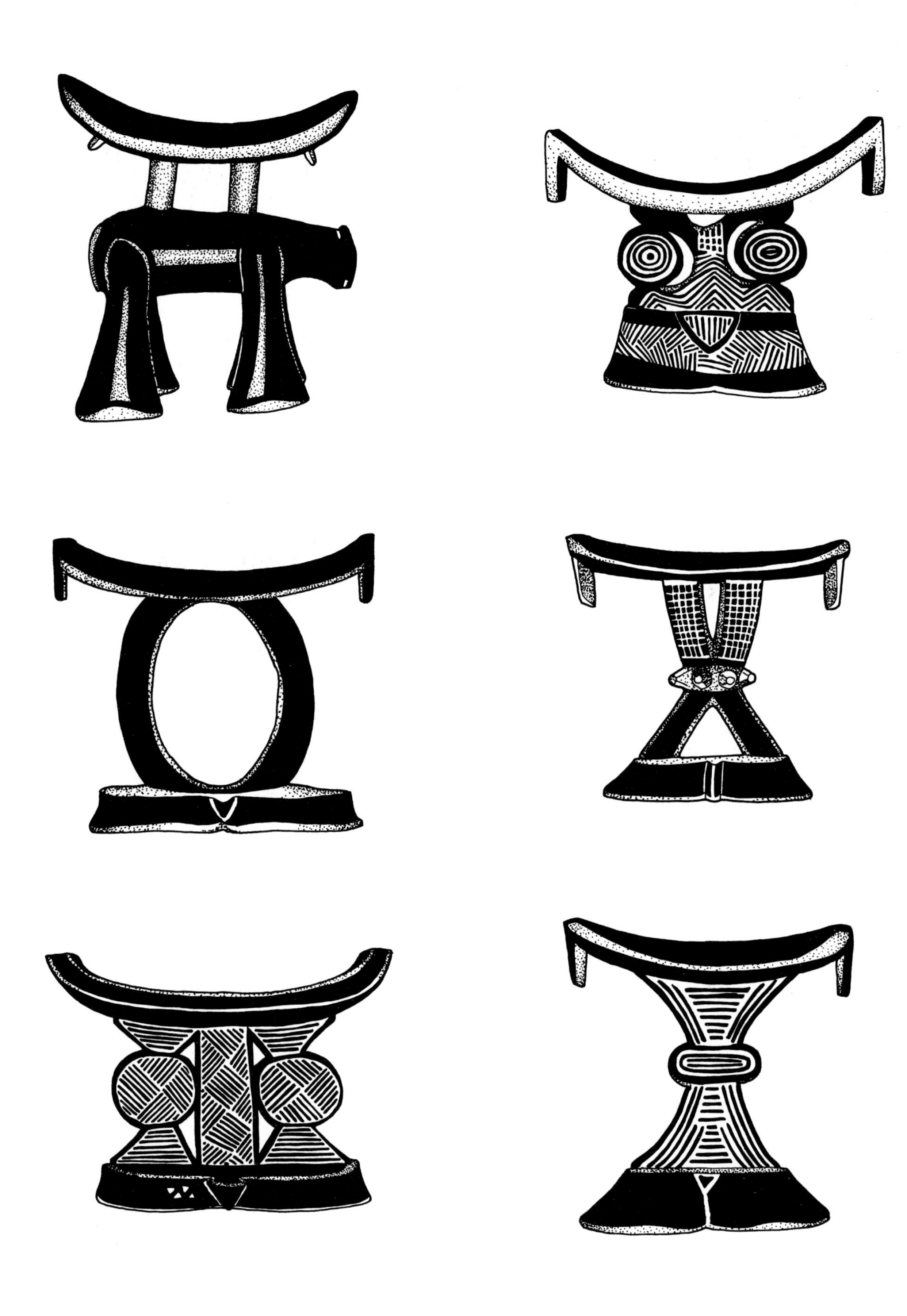

92 Reposacabezas portátiles de madera tallada. Shona, Zimbabwe. Los reposacabezas presentan bellas formas y además sus motivos decorativos están tallados con mucha precisión, con lo que se demuestra la habilidad del artesano para alcanzar un equilibrio perfecto entre forma y decoración.

93 Reposacabezas portátiles de madera tallada. Shona, Zimbabwe.

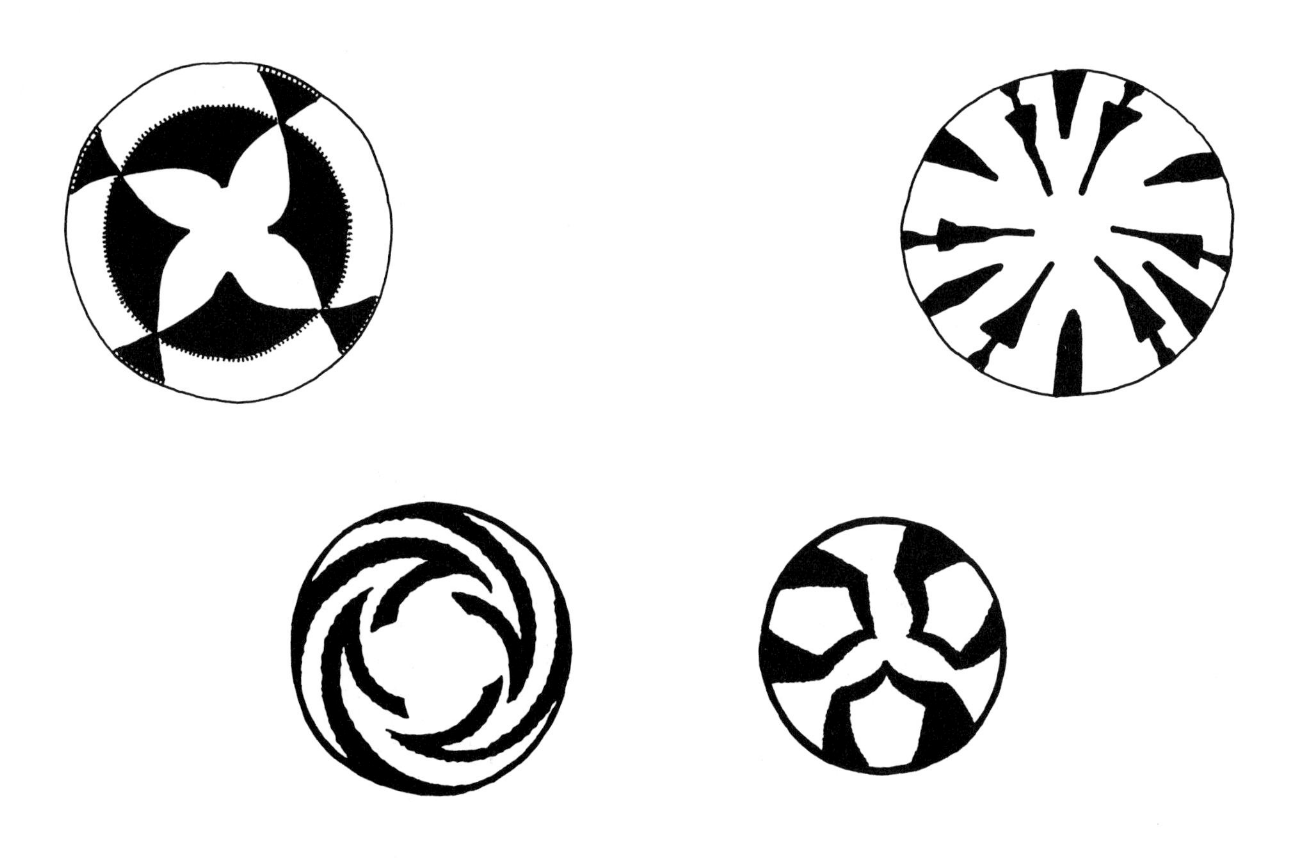

94 Textiles estampados de Mochudi, Botswana (ARRIBA) con diseños de cestería y (DEBAJO) cuatro cestos tejidos del delta del Okovango; los diseños tienen nombres como (ARRIBA IZQUIERDA) "frente de la cebra" y (DERECHA) "escudo".

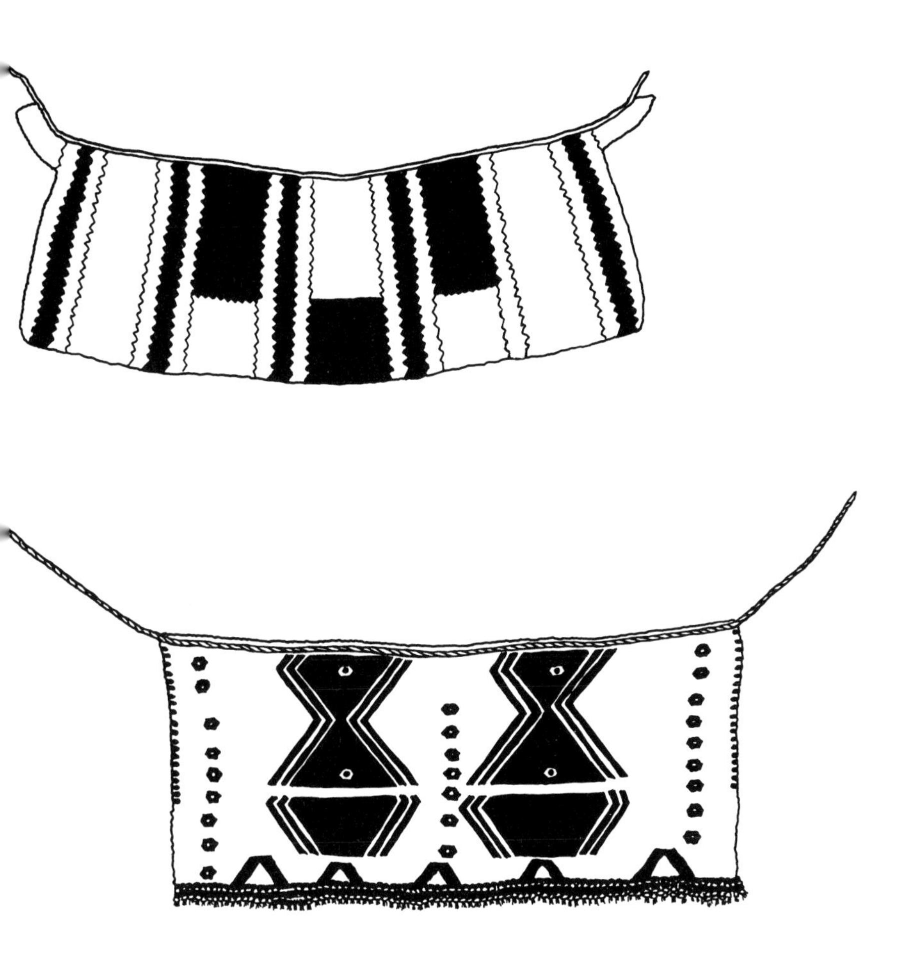

95 Cinturones de cuentas de Sudáfrica.

96 Collares y brazaletes de cuentas para el tobillo delicadamente trabajados por los zulúes, los zhosa y otros pueblos de Sudáfrica. En el trabajo con cuentas, los motivos geométricos y los de entrelazado son los más efectivos, y muchos de los motivos contienen mensajes con significado. DEBAJO IZQUIERDA. Este collar tiene forma de corbata.

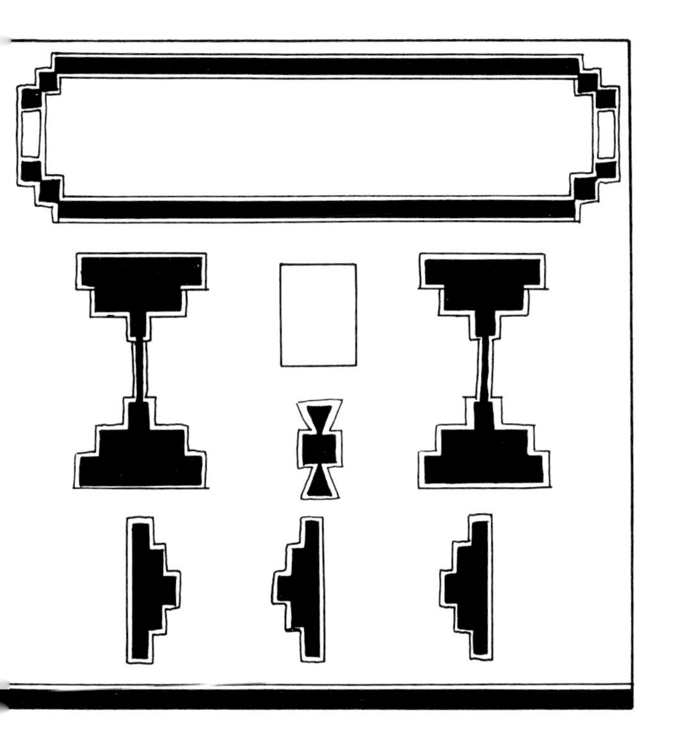

97 Las casas ndebele de Sudáfrica las pintan las mujeres con formas geométricas simbólicas, plantas y formas animales y motivos simétricos. Los diseños de ARRIBA IZQUIERDA y DEBAJO DERECHA son de la "primera fase monocromática", donde se emplean sólo el gris, el negro y el blanco. Los motivos están a menudo relacionados con los diseños de los tejidos; las pinturas, por suparte, embellecen la estructura de la casa.

98 Diseños tomados de murales en viviendas de Sudáfrica. Los dos de arriba son diseños sotho y se aplican a la pared utilizando una rasqueta (un cuchillo o un tenedor), dando al mural un efecto añadido de textura y color. El rascado produce el efecto de campos arados. El motivo simple de cuatro pétalos (DEBAJO IZQUIERDA) está en la base de muchos diseños sotho. Estos motivos se van repitiendo hasta cubrir toda la pared.

99 Diseños murales de Sudáfrica. ARRIBA. Motivo de cenefa de estilo sotho-ndebele pintado a lo largo de la parte alta de una pared. CENTRO. Mural ndebele primera-fase que decora todo el largo del lado de una casa con diseños geométricos blancos y negros. DEBAJO. Pared pintada por Matuel Dani, del Estado Libre de Orange.

100 El diseño de ARRIBA se encontró en la misma pared que el de la lámina **99** (DEBAJO), pero ha sido repintado. CENTRO IZQUIERDA. Diseño típico sotho y CENTRO DERECHA diseño floral que cubre toda la superficie de una pared, del sur de Sotho. El pez es del norte de Lesotho, donde surgen los diseños ndebele y sotho y donde el estilo suburbano influye en el estilo tradicional.